D1319610

Pourquoi

le vin est-il rouge ?[®]

Why is wine red?

Texte · *Texts*
David Cobbold & Sébastien Durand-Viel

Illustrations
Philippe Goron

Traduction anglaise · *English version*
David Cobbold

L'ATELIER DU VIN

1926

Sommaire
Table of contents

74 Dans la vigne
In the vineyards

96 La vinification
Winemaking

116 Le vin en cave
Storing wine

Introduction
Introduction

Pourquoi le vin rouge est-il rouge ? Pourquoi y a-t-il des bulles dans le champagne ? Pourquoi certains vins valent-ils très cher ? Pourquoi est-ce difficile de choisir un vin en magasin ? Pourquoi certains vins rendent-ils la langue râpeuse ? Pourquoi le vin sent-il rarement le raisin ?

Chacun(e) s'est posé l'une de ces questions au moins une fois dans sa vie, car le vin est un pivot culturel et gastronomique incontournable.
Cependant, très peu parmi nous peuvent répondre à toutes ces « colles » sans faillir, même si certaines paraissent simples.
C'est pourquoi **L'Atelier du Vin**, après avoir récolté et sélectionné 100 Questions entendues de manière récurrente lors de dégustations professionnelles et privées, de repas d'amis et autres plaisants regroupements vitivinicoles, les a livrées à l'expérience et aux esprits affûtés de **David Cobbold** et **Sébastien Durand-Viel**.
Pourquoi le vin est-il rouge ?® est à prendre comme une petite encyclopédie du vin, où l'on peut picorer au gré de ses besoins et de ses envies.
Plus vous en saurez sur le vin, plus votre plaisir de déguster sera riche et complet, et plus vous pourrez partager et enrichir votre savoir avec votre entourage.

Bonnes dégustations !
L'Atelier du Vin

Les auteurs
• **David Cobbold** est formateur, conférencier, journaliste et chroniqueur radio et TV. Sujet britannique installé en France depuis 1973, il visite régulièrement les grands pays viticoles du monde et signe articles, livres et émissions sur le vin et son univers.
• **Sébastien Durand-Viel** est dégustateur, rédacteur de documents spécialisés, d'articles sur l'histoire du vin. Il collabore à plusieurs revues sur le vin et a signé une dizaine de livres et guides sur le vin.
Retrouvez leurs chroniques sur : www.eccevino.com

L'illustrateur
• **Philippe Goron** est illustrateur, peintre et styliste depuis de nombreuses

années. Voyageur esthète et gourmet, il croque des instants précieux dans les vignes et les bistrots parisiens, aussi bien que dans les églises baroques de Rome et les bars tokyoïtes.

Why is wine red? Why does sparkling wine contain bubbles? Why are some wines very expensive? Why can it be hard to choose a wine? Why do some wines feel "rough" on the palate? Why does wine rarely smell of grapes?

We have all asked one or more of these questions at some time, as wine is a fantastic crossroads for the senses, for history, for geography, for science and for gastronomic culture.
Yet very few of us would be able to answer all of these questions properly, even if some are apparently simple.
*This is why **L'Atelier du Vin**, having collected and selected 100 questions heard time and time again during professional and amateur tasting sessions, or in the course of shared meals and other enjoyable moments involving wine, then submitted them to the experience and the critical minds of **David Cobbold** and **Sébastien Durand-Viel**.*
Why is wine red? *is to be used as a sort of small encyclopedia on wine, in which one can select a subject according to one's needs or inclinations.*
The more you know about wine, the greater will be your pleasure when tasting it, not to mention the enjoyment to be had from sharing your knowledge with friends and family.

Enjoy yourself!
L'Atelier du Vin

The authors
• **David Cobbold** is a wine teacher and lecturer, wine writer and radio and TV journalist. A British subject who has been living in France since 1973, he has written more than a dozen books on wine, and travels regularly to most wine producing countries to research his written and spoken work on wine and its culture.
• **Sébastien Durand-Viel** is an editor of specialised documents on wine and its history, also a wine journalist and taster. He has written several books on wine and is a trained historian.
They have co-founded a web site dedicated to wine (in French):
www.eccevino.com

The illustrator
· **Philippe Goron** has been working as an illustrator, painter and stylist for some years. An eclectic traveller and a gourmet, he captures precious, fleeting moments in the vineyard and in Parisian bars, in Rome churches and Tokyo night life.

Le choix du vin
Choosing wine

Pourquoi existe-t-il des « grands vins » ?

La bonne question serait plutôt qu'est-ce qu'un « grand » vin ? Cette question relève quasiment de la philosophie, car tout dépend ce qu'on entend par « grand ». Disons qu'une définition possible d'un « grand vin » est un vin qui révèle, à la dégustation, de l'intensité et de la finesse, et dont les saveurs durent longtemps en bouche. Ce type de vin est toujours capable de vieillir avec élégance, en se transformant graduellement et en donnant du plaisir pendant des décennies. Tout autre vin n'est pas grand. Pourquoi ces vins existent-t-ils ? Pour satisfaire une clientèle exigeante et ayant des moyens financiers adéquats, car cela coûte plus cher de produire un grand vin qu'un vin courant. Le vin est un produit soumis aux jugements esthétiques, donc personnels. Les définitions individuelles de la grandeur peuvent donc varier, mais le marché opère souvent une forme de consensus, parfois guidé par des leaders d'opinions que sont les critiques ou les sommeliers.
Un grand vin n'est pas nécessairement très cher, car la montée des prix de certains vins dépend d'un effet spéculatif, comme d'un effet de rareté.

Why are some wines called "great wines"?

Perhaps the proper question should be "what is a great wine?" This is another philosophical debate, as the answer will depend on what one means by "great". We can say that one definition of a "great" wine is a wine that shows, when tasted, a considerable range of flavours which are both fine and intense, and these flavours can be tasted for some time in the mouth after the wine has been swallowed. Such wines are also able to age with grace, gradually changing and becoming even finer in their texture and flavours. They will continue to provide pleasure for tens of years. Wines which do not fulfil these requisites are not "great", though they may be "good". Why are great wines produced? In general to satisfy a demanding group of wine lovers, who usually have the means to indulge in this kind of pleasure, since it costs more money to produce a "great" wine than an ordinary one. Wine, like other products of crafts and the arts, is often submitted to a form of aesthetic judgement. Such judgements are necessarily subjective, so individual opinions as to which wines are "great" will vary to some extent. Yet markets tend to operate on a convergent mode, often guided by opinions-leaders such as critics, sommeliers and so-on.

A great wine is not necessarily very expensive, as inflated prices depend on speculative movements by retailers or buyers. There are many "undiscovered" great wines.

Pourquoi certains vins valent-ils très cher ?

Si « très cher » est un chiffre supérieur à, disons, 50 euros, cela est dû essentiellement à la demande qui dépasse l'offre pour le vin en question, et/ou à un jeu de positionnement marketing de la part du producteur et/ou du revendeur. Car aucun vin, à part peut-être quelques vins liquoreux d'exception, ne coûte plus de 50 euros à produire et à vendre, y compris avec une marge correcte pour le producteur et pour le revendeur. Néanmoins bon nombre de vins se vendent à des prix encore plus élevés. Un des facteurs qui peuvent justifier, du moins en partie, un prix plus élevé, est l'âge du vin. Stocker du vin correctement coûte cher, et il est normal que ce risque financier soit rétribué. Sinon, pour des vins jeunes (moins de 5 ans), la seule explication d'un prix qui dépasse les 50 euros est que le vin est rare, ou à la mode, ou les deux. Cela ne veut pas dire qu'il est mauvais, mais on ne peut plus parler d'un rapport « normal » entre qualité et prix. Nous sommes dans le domaine de la collection, donc de l'irrationnel.

Why are some wines very expensive?

If "very expensive" means a figure per bottle in excess of, say, 50 euros, then it is safe to say that the part of the sum over that mark is due to the scarcity of the wine in question, or to the marketing positioning of that product. In the first case, demand clearly has outstripped the offer, engendering either speculation by retailers and/or overbidding by buyers. However well made and elaborately packaged, virtually no wine costs more than 50 euros to produce, ship and sell, including adequate margins for importers and retailers, provided of course that taxes do not interfere in these calculations. Perhaps some very sweet wines, because of their extremely low yields, could be exceptions to this rule. One could also include older wines, for which the cost of ageing in good cellars, as well as their growing rarefaction, has to be taken into account. For all other wines, very high prices mean scarcity and prestige, not value for money. We are in the field of the irrational, and, if you can afford it, why should wine be simply rational?

Pourquoi dit-on que les bons vins sont chers ?

Tout dépendra de ce qu'on estime être « cher ». Produire un bon vin coûte, normalement, plus cher que produire un vin standard ou médiocre. Car la qualité d'un vin dépend d'une somme d'attentions permanentes, de la vigne au chai. Toutes les étapes de la vie de la vigne, de la plantation à la vendange, sont concernées, comme le sont toutes les étapes de la vinification et de l'élevage, jusqu'à la mise en bouteille. Par exemple, réduire le rendement d'une parcelle de vigne aura tendance à produire des raisins de meilleure qualité, mais, puisque le volume récolté diminuera, le coût de cette production augmentera. Trier les raisins à la vendange nécessite de l'investissement en main d'œuvre et peut-être aussi en machines. Mais c'est souvent la seule solution pour éliminer des raisins dont la qualité laisse à désirer. Dans l'absolu, un bon vin n'est pas toujours cher, relativement au plaisir qu'il peut procurer au consommateur, à condition d'éviter la catégorie des vins spéculatifs. En revanche un mauvais vin, ou un vin qui ne donne aucun plaisir, sera toujours trop cher !

Why is it sometimes said that good wines are necessary expensive?

Here again, a lot will depend on what one means by "expensive". Producing a quality wine will nearly always cost more than producing an ordinary or indifferent one. The final quality of a wine depends on a long series of details and careful attention, from the vineyard, through the wine-making and ageing process, and down to the final bottling. Every stage of this long process is concerned. For example, reducing the yield from a given plot of vineyard will tend to produce more intense flavours in the grapes, but, as the yield falls, the cost per bottle will necessarily rise. Sorting grapes by hand to eliminate unripe or damaged ones costs money, both in labour and equipment. Yet this will result in cleaner and more precise flavours in the wine. In the end, a good wine is not always "expensive" relative to the pleasure it provides, provided one avoids wines that fall into the speculative category. On the other hand, a poor wine (let's say a wine that provides no pleasure to the drinker) will always be too expensive, whatever the price!

Pourquoi le champagne coûte-t-il plus cher que le vin ?

D'abord, rappelons que le champagne est un vin. Mais c'est un vin à la technique d'élaboration complexe. La première raison tient donc aux coûts de production d'un champagne, plus élevés que ceux d'un vin tranquille : les vendanges manuelles, les techniques de vinification (qui exigent beaucoup de manipulations), le prix du raisin (les grandes maisons de champagne achètent une grande partie des raisins dont elles ont besoin et ces raisins sont parmi les plus chers du monde) ainsi que le temps de vieillissement des vins (18 mois minimum, mais souvent beaucoup plus) expliquent, en partie, le coût d'une bouteille de champagne. Cependant la plupart des crémants, élaborés selon les mêmes techniques, coûtent 2 à 3 fois moins chers. Le surcoût des champagnes a donc d'autres raisons qui tiennent au prestige et à la notoriété du champagne partout dans le monde, ainsi qu'aux dépenses en marketing, en promotion et en publicité, qui ont aidé à créer et à maintenir cette notoriété. Cela est particulièrement vrai pour les grandes marques. Un des aspects du travail des grandes maisons, depuis le XIXème siècle, a été de façonner l'image de leur vin : le champagne est la boisson de fête par excellence, celle des cérémonies collectives et individuelles, mais aussi l'expression d'un savoir-faire, d'un luxe et d'un raffinement « à la française ». Le résultat de cela est deux siècles de succès et une offre qui couvre difficilement la demande, puisque le champagne provient d'une aire délimitée (d'un peu plus de 30 000 hectares). Cette image et les mécanismes de marché ont une incidence sur le coût, qui est loin d'être négligeable dans le cas du champagne.

Why is champagne often more expensive than other wines?

Champagne is a wine that requires considerable technological and human investment to ensure regular quality in its production. Costs are therefore higher than for an equivalent still wine. Harvest has to be manual, grapes are very expensive (if you don't own the vineyards, and these are also the most expensive in the world to acquire), winemaking and ageing is long and complex, involving considerable amounts of labour, and producers must carry high stocks and store these carefully, as the compulsory ageing periods are higher than for any other wine (at least 18 months for a non-vintage and 36 months for a vintage, but these figures are greatly extended by the best producers). All these factors added together explain why a bottle of Champagne costs more than most bottles of still wine. Yet it must be said that several other sparkling wines (various crémants in France, franciacorta from Italy, cava from Spain, etc.) use exactly the same production techniques as champagne, albeit with shorter ageing times, and a lot of these cost half the price. What justifies this difference? History, prestige and fame play a considerable part here, as does the cost of land and grapes. All of these are linked. Champagne started the sparkling wine market, and its producers have reaped the fruits of this success by placing themselves firmly at the top of the quality and price hierarchy for such wines. But there are also, for the more expensive bottles of Champagne and the best-known brands, considerable marketing costs involved, and these are inevitably reflected in the price. The combined effect of the long-term work done by major brands to make champagne world famous and a limited offer from a vineyard that covers some 33,000 hectares (about 80,000 acres) have inevitably caused prices for champagne to rise in face of world demand. Markets also have a way of correcting excesses.

Pourquoi donne-t-on des « médailles » à certains vins ?

A la grande différence des yaourts, par exemple, il existe une énorme quantité de marques de vins qui semblent souvent, vus de l'extérieur, très comparables par leur type, origine, cépage ou prix, et parfois par plusieurs de ces attributs en même temps. Dans un seul pays comme la France, il y a plus de 120 000 producteurs de vin différents, et souvent plusieurs centaines pour chaque appellation.

Lequel choisir ? Voilà la raison d'être des concours de vins, qui cherchent à dégager une forme de hiérarchie qualitative entre différents vins issus d'un cépage ou d'une appellation donnée. Ces médailles sont souvent, comme pour une compétition sportive, en or, argent et bronze, mais elles peuvent aussi prendre d'autres formes ou désignations (« award », « commended », « recommandé », etc.).

Que penser de ces médailles ? Constituent-elles un indice fiable de la « qualité » d'un vin ? Comme dans une compétition sportive, une médaille récompense le meilleur des engagés du jour. Si le ou les meilleurs compétiteurs du moment ne se présentent pas, la médaille d'or ira à un autre. Faire figurer son vin dans un concours est un acte volontaire ; or, un producteur peut ignorer un concours. Et cela coûte aussi un peu d'argent, ce qui constitue, pour certains, un frein. A la différence d'une compétition sportive, une récompense dans un concours de vins n'est pas attribuée selon des critères objectifs et quantifiables (le plus rapide, le plus haut, le plus long…), mais selon un jugement, ou plutôt une série de jugements (car les jurys sont composés de plusieurs individus) subjectifs. On peut arguer, dans ce cas, que l'objectivité constitue la somme d'une série de subjectivités, mais cela ne résout pas le problème philosophique de « qu'est-ce que la qualité dans un vin ? ». Donc il faut avoir confiance dans le jury et son expérience. Dans la plupart des concours, les membres des jurys sont de bons professionnels, mais ce n'est pas toujours le cas, et de toutes façons, ils sont différents d'un concours à un autre, ce qui fait qu'à la différence d'un guide, il n'y a pas de « signature ».

Pour résumer, on pourrait dire qu'une médaille constitue un indice qu'un vin n'est pas mauvais, et qu'il peut même être bon ou très bon. Mais ne pensez pas qu'il s'agit du « meilleur » de sa catégorie.

Why do some wines win "medals"?

Unlike in the case of yoghurts, for instance, there are endless brands of wine, at a huge range of prices and with many sub-categories. Placed side by side, many of these may seem very similar in one or several respects (colour, type, grape variety, place of production, price etc). Just to take one of the major producing countries, France has over 120,000 different wine producers, and most of these make several different wines. So there are probably half a million different wines coming from this country alone each year! Which wine should you choose? This is what motivated, initially, the organisers of wine competitions: the aim to provide the consumer with some kind of guidelines as to which wines might be the best of any particular bunch.

Medals, as for an athletics competition, are usually of the gold, silver and bronze sort, but they can also take other forms and designations, such as awards or commendations. So what value can one accord to these medals? Are they a reliable indication of the "quality" of a wine? As with athletics or other sporting competitions, the winners of the day will be the best of that particular day. If the best (and most regular) specialists in a discipline are not in a particular race, then another one will win that day. Entering a wine in a competition is a choice that any producer may elect, or not, to make. A renowned producer will be unlikely to enter his wines as he has no need of medals to sell them. All entrants have to pay something for each entry, which may also refrain some ardour. Further, and unlike for athletic competitions, medals in wine competitions are not awarded according to physical and quantifiable criteria (the fastest, the highest, the longest, etc.), but following a subjective judgement on aesthetic considerations, based on individual sensory experience. In fact they are awarded on the basis of averages drawn from a series of such experiences and judgements of several individuals. One may argue that a form of objectivity is to be derived from multiple subjective judgements, but this will never resolve the philosophical question of "what is quality in wine?". Trusting medals implies trusting the judgement or, more exactly, the average of the judgements of several individuals that you do not know. If, in the best wine competitions, judges are drawn from the ranks of experienced wine professionals, this is far from always being the case. In any event these judges are different from one set of wines to another in most competitions, and from one competition to another. Hence, unlike with individual buyers guides published by named wine critics, the judgements of competitions are not signed and one should not expect them to be consistent.

To sum up, one can say that bearing a medal will indicate that a *wine is not bad, and that it may even be good or very good. But one should not think that it is necessarily the best in its particular type or category.*

Pourquoi certains bordeaux sont-ils de « grands vins » (d'après leur étiquette) ?

Cette mention, qui a une origine historique assez bien identifiée, ne signifie plus rien sur le plan d'une supposée qualité, car tout producteur de vin de Bordeaux a le droit de l'utiliser. Or, il n'est pas possible de soutenir que tous les vins de cette région méritent ce terme. Lorsque certains châteaux prestigieux se sont mis à opérer des sélections dans leur production pour en vendre une partie sous une deuxième étiquette, ils ont souvent nommé la première sélection « grand vin », pour souligner sa position dans la gamme. On peut encore voir cette mention dans son acception originelle sur des étiquettes de Château Latour. Mais l'Interprofession bordelaise, en élargissant le droit d'utiliser ce terme à tout le monde, l'a effectivement vidé de tout sens.

Why do many wine labels from Bordeaux carry the term « grand vin » (great wine)?

This expression, which has its justifiable historical origins, no longer signifies anything at all in terms of quality since virtually any producer can use it. Yet nobody in their right mind would sustain that all Bordeaux wines are "grand"! When a few prestigious châteaux began to make a selection amongst their many barrels and then designate their best blend "grand vin", the idea was to distinguish this from the lesser levels of their production, which went into second and even third selections. One can still see this term "Grand Vin", in its original sense, on labels of the first growth Château Latour. In this case, it means something. But the Bordeaux Wine Council, by allowing anyone to place this term on their labels of Bordeaux, have stripped it if any signification.

Pourquoi y a-t-il tant de châteaux dans le Bordelais ?

Dans le monde du vin, le terme château ne désigne que rarement un bâtiment grandiose, que celui-ci soit d'origine médiévale ou plus tardive. Château, surtout dans le Bordelais, signifie simplement une propriété viticole, ayant ou non des bâtiments résidentiels, mais pourvue d'un chai, de bâtiments d'exploitation et de vignes. La pratique de nommer ainsi une exploitation viticole a surtout, mais pas exclusivement, cours dans la région bordelaise, où elle constitue une pratique très dominante, même s'il existe de rares propriétés qui

n'utilisent pas le mot château (comme Petrus ou Domaine de Chevalier, par exemple). Lancé par quelques propriétés qui ont, à partir du XVIIème siècle, initié la mode des producteurs signant leurs propres vins (au lieu de les vendre sous un nom générique, régional ou de commune, comme auparavant), le terme « château » est devenu une sorte de symbole de qualité et de prestige. Or, à partir du moment où tout le monde peut inscrire « château » sur son étiquette, toute notion de qualité nécessairement rattachée à ce mot disparaît sous l'effet de la dilution.

Why are there so many "châteaux" in Bordeaux?
In the world of wine, the term "château" rarely designates a large building, even less a castle, which was (and remains) its initial meaning. This is especially true in the Bordeaux region where the word château has become, through time, synonymous with a wine-making property, whether the building on the estate be a garage, a small house, a manor house or indeed a real castle. It must have a winery on the estate

however. Thus practically every estate in Bordeaux, large or small, is called "château", and there are about 5,000 of them! One or two opt for another designation, but this is very rare: Petrus (in Pomerol) or Domaine de Chevalier (Pessac-Leognan) are the best-known of these. The fashion for these "château" designations was launched in Bordeaux as from the late 17th century, and developed as producers began gradually to sign their own wines rather than selling them under generic place names such as the region or the village. Most of the first estates to do this had large houses or castles on them. Due to this process, the term became a signature for a fine wine and was widely copied. Thus there is no longer any notion of quality attached to the term, since virtually anyone can use it.

Pourquoi certains vins mentionnent-ils le(s) cépage(s), et d'autres pas ?

Pour faire simple, les premiers descripteurs utilisés pour identifier les vins, sur des documents commerciaux ou des étiquettes par exemple, étaient leur origine géographique. Et cela bien avant la naissance de l'ampélographie, qui consiste à identifier et à nommer les cépages. Autrement dit, lorsque des régions comme Chianti, Porto, Tokay, Bordeaux ou Bourgogne ont émergé dans différents marchés éloignés de leur lieu d'origine, on ignorait pratiquement quels étaient les cépages qui produisaient ces vins-là, à de rares exceptions près. Ce n'est qu'au XXème siècle qu'un producteur de Californie, fier de sa production et cherchant à abandonner la pratique encore dominante de nommer les vins californiens par des noms de vins d'Europe (Rhine, Burgundy, Port, etc.), a écouté un journaliste de New York qui lui suggérait d'utiliser à la place les noms des cépages, maintenant identifiés, et qui ont aidé à rendre célèbres ces vins imités. Petit à petit, entre 1930 et 1970, la pratique de nommer des vins par leur cépage (chardonnay, cabernet sauvignon, etc.) s'est imposée dans tous les pays du Nouveau Monde, car, au contraire de l'Europe, les régions de production, relativement jeunes, n'étaient pas encore suffisamment connues pour constituer un repère pour le consommateur. Aujourd'hui la majorité des consommateurs dans les marchés de vin en croissance connaissent mieux le principe des cépages que celui des appellations géographiques, et les Français, les Espagnols et les Italiens commencent à l'utiliser aussi, du moins pour une partie de leur production. Cela est particulièrement vrai pour les vins de pays, mais cela s'étend aussi aux vins d'appellation contrôlée. En réalité, les deux approches ont tendance à se rejoindre, car certaines régions situées dans des pays du Nouveau Monde ont maintenant acquis une bonne notoriété, et on voit figurer sur leurs étiquettes, à côté du nom du ou des cépages, les noms de ces régions viticoles : Napa ou Sonoma (Californie), Mendoza (Argentine), Coonawarra ou Margaret River (Australie), Marlborough (Nouvelle Zélande), ou Stellenbosch (Afrique du Sud), à titres d'exemples.

Why do some wines mention their grape variety (or varieties) on their labels and others not?

To cut a long story short, the earliest descriptions of wines, whether in commercial documents, written accounts or labels, designated them by their place of origin. As this was long before the arrival of ampelography, which is the branch of botany devoted to the vine, it became a standard without any rival. Regions such as Chianti, Porto, Tokay, Rhine, Bordeaux or Burgundy became known throughout much of the wine-drinking world before anyone knew what grape varieties were used to produce such wines, with very few exceptions. It was only in the mid 20th century that a Californian producer, proud of his wines and looking to abandon the then current practice of misusing European place names (Rhine, Port, Burgundy, etc.) to describe locally produced wines, decided to name his wines by the grape varieties that had been imported from Europe. In doing this, he followed the advice of a New York journalist who had suggested this way for Californian wines to acquire, gradually, their own identity, given that their place names were as yet little known. It took some time (between 1930 and 1970) for this to really catch on, but it has now become standard practice in all "New World" countries, and is also being used increasingly in Europe as many new consumers around the world find it easier to understand. In fact the two systems are tending to become one, as many "New World" producers place increasing importance on the sense of place given to their wines by the production area or the vineyard. And these places have now acquired high reputations, hence the appearance, in growing numbers, of names like Napa or Sonoma (USA), Coonawarra or Margaret River (Australia), Marlborough (New Zealand) or Stellenbosch (South Africa).

Pourquoi est-il parfois difficile de choisir un vin en magasin ?

Cela peut être difficile de choisir un vin dans un magasin dans de nombreux cas. La difficulté peut naître simplement d'un choix très abondant, ou venir tout simplement de l'opacité et du mutisme de la bouteille. En effet, une bouteille de vin, contrairement à un livre ou un fruit, ne révèle que très peu d'éléments sur son contenu. On peut feuilleter un livre, lire la présentation sur le dos de la couverture ; on peut soupeser un fruit, le sentir, et en apprécier la couleur. Mais on ne peut presque rien déceler en regardant ou en soupesant une bouteille. D'autant moins, d'ailleurs, que la plupart des étiquettes sont laconiques, malgré l'effort de quelques vignerons pour décrire leur vin. L'idéal serait que tous les cavistes mettent un verre de chaque vin à la disposition de leurs clients, mais cette solution relève bien sûr de l'utopie…

Et tous cas, si vous ne connaissez aucun des vins proposés, et s'il n'y a pas de conseiller compétent et qui vous inspire confiance, votre choix sera toujours difficile. L'absence de conseil est la caractéristique essentielle des rayons de vins des supermarchés. Chez un caviste, il y a généralement un ou plusieurs conseillers pour vous guider. Encore faut-il qu'ils soient compétents, connaissant très bien leur gamme, et capable d'écouter vos besoins et vous aider à exprimer votre goût.

Why can it be difficult to choose a wine in a shop?

There are many instances when it can be difficult to choose a wine from a shop's selection. This is particularly true when the selection is wide, but it can also stem from the fact that the bottles (or their labels) mean nothing to you and there is no expert advice on hand. Bottles of wine, unlike other complex products like books, or simpler goods such as fruit, usually convey little information about their contents, or at least the flavours of these. One can read the résumé of a book, or even flick through its pages and read extracts. One can handle a fruit, smell it and appreciate its shape and colour. But one gets little information from looking at or handling a bottle of wine. Most wine labels provide quite minimal information, a lot of which is fairly meaningless to many buyers. Ideally, one would be able to taste each wine before buying it, to see whether its flavours suit one's palate. But this is obviously not feasible for small purchases. In any event, if you recognise none of the wines present in a shop, and if there is no competent advice available (and we mean someone who will attempt to discover your tastes and not just try to sell you anything to hand), then your choice will have to base itself on budget, superficial indicators like country, region, grape variety etc., and your past experience. Lack of dedicated advice is one of the main problems with buying wines in supermarkets. A specialist wine shop should always have one or more competent staff who know their wines and with whom one can discuss things like requirements and personal preferences.

Pourquoi certains vins contiennent-ils 14% d'alcool (ou plus) et d'autres 8% (ou moins) ?

Il faut d'abord noter que le premier cas est de plus en plus fréquent, alors que le second se raréfie !

L'alcool dans un vin est le résultat de la transformation, totale ou partielle, du sucre contenu dans le raisin qui forme sa matière première. Il est donc évident que plus la concentration de sucre est importante dans le raisin, plus le vin en question contiendra d'alcool. Les définitions officielles des vins quant à leur degré d'alcool peuvent varier beaucoup selon le type de vin, ses méthodes d'élaboration, et les pays ou régions en question. Il existe même des vins dont l'alcool n'est que de 5% (les moscatos d'Asti italiens, par exemple). Lorsqu'un vin contient moins de 11% d'alcool, cela signifie soit qu'il vient d'un pays au climat frais, soit qu'il contient du sucre non transformé en alcool. Cela peut être une combinaison des deux. Au contraire, un vin dont le degré d'alcool est égal ou supérieur à 13,5% provient presque toujours d'une région au climat chaud, ou en tous cas est issu d'une année très ensoleillée. Si on trouve quelques vins qui dépassent les 15%, cela reste rare pour deux raisons : les levures qui transforment le sucre en alcool ont souvent du mal à fonctionner dans un milieu qui contient plus de 15% d'alcool ; mais aussi parce que des vins « titrant » plus de 15% sont pénalisés fiscalement dans certains marchés. Les vins mutés (comme les portos, banyuls, rivesaltes, etc.) titrent souvent 16% et plus parce qu'on arrête la fermentation en rajoutant un peu d'alcool neutre, ce qui tue les levures, conserve du sucre non fermenté, et augmente un peu le niveau d'alcool.

Why do some wines show alcohol levels of 14% (or more) and others 8% (or less)?

It has to be said that the first case is increasingly common, and the latter getting rarer! Alcohol in wine is produced by natural sugar in grapes being transformed by the action of yeasts. It follows that, in most cases, the higher the sugar levels in the grapes, the more alcohol one will find in the ensuing wine, at least if all the sugar is converted. Official designations of what makes a wine may vary according to its type and origin. There are wines with alcohol as low as 5% (these are generally sweet, like the Italian moscato d'Asti). Indeed, if a wine contains less than 11% alcohol, it usually signifies that either it is sweet (on account of some of its sugar not having been converted into alcohol) or it comes from a very cool climate where natural sugar levels are low. And it may be due to a mixture of both, as with many German wines.

On the other hand, a wine whose alcohol is above 13,5% almost always comes from a warm climate or a very warm vintage in a temperate climate. Although one can find wines containing more than 15% alcohol, this is fairly rare for two reasons: yeasts that change sugar into alcohol often find it hard to survive in higher levels of alcohol. Another reason is economic: many countries place higher taxes on wines of above 15% alcohol. Fortified wines, like port, sherries, marsala, rivesaltes and so on usually contain between 16% and 20% alcohol, because fermentation is stopped by the addition of a percentage of pure spirit to the fermenting juice or wine, thus raising the total level of alcohol.

le service du vin
rving wine

urquoi trinque-t-on avant de boire du mpagne ou du vin ?

Cette habitude remonte au temps où, dans l'Italie du XVIème et XVIIème siècles, il pouvait être très dangereux de boire avec son hôte ; en effet, certains avaient la fâcheuse habitude de chercher à vous empoisonner s'ils vous considéraient comme un ennemi, réel ou potentiel. Malgré ces comportements peu recommandables, on conservait une sorte de politesse de façade en s'obligeant à accepter les invitations, car un refus aurait été suspect. A cette époque, le vin était, le plus souvent, servi dans des gobelets en métal (étain, argent ou or). La parade consistait donc à choquer assez fortement le gobelet de son hôte avec e sien, pour que quelques gouttes du liquide passent de l'un à l'autre. Si l'hôte buvait d'abord, tout allait bien ! Si on buvait ensemble, il allait le regarder dans les yeux pour tenter de déceler d'éventuelles éticences de sa part et pouvoir, le cas échéant, s'abstenir de boire à emps. Evidemment, il ne fallait jamais boire le premier ! Bien que plus personne n'empoisonne ses invités, et que tout le monde ou presque boive dans des verres qui ne supporteraient pas le choc nécessaire à a manœuvre, on a conservé cette habitude de toucher les verres, les aisant tinter (ou « trinquer »). On boit donc « à la santé », ou plutôt « à la survie » !

Why does one sometimes clink glasses together when sharing a drink or toast?

This habit probably comes from Italy and a period, during the 16th and 17th centuries, when it could be dangerous, indeed fatal, to drink wine that was offered in a reception or at a banquet, since some hosts took this opportunity to poison certain guests considered to be ivals. Despite such unpleasant habits, a surface of politeness wa *maintained as it would have been insulting to refuse an invitation. At this time wine was usually drunk in metal goblets (made of pewter, silver or gold). The way out of such a delicate situation was to bang your goblet into that of your host, ensuring that some wine from yours spilt into that of the host. If he drank first, all was well! If not, you had to find another solution rapidly. And looking him in the eyes was also a way of showing that you were not afraid whilst being aware of the danger. Although nobody poisons anybody in this way any more, and glasses would in any case be unable to stand this type of treatment, the habit has somehow remained. One is drinking, symbolically, not just to good health, but to survival!*

Pourquoi boit-on du champagne quand on fait la fête ?

Le vin de Champagne effervescent, qu'il faut distinguer de son ancêtre, le vin de Champagne tranquille, a été immédiatement associé à des moments festifs dès son invention dans l'Angleterre de la Restauration, au cours de la deuxième moitié du XVIIème siècle. C'était une période d'enrichissement individuel, et donc de comportements voyants et extravagants. Le champagne, par son aspect visuellement mobile et exubérant, et peut-être aussi pour l'effet euphorisant qu'il procure, était la boisson parfaite pour cela. Il était différent et amusant. Il en a été de même lorsque, quarante ans plus tard, ce type de vin est devenu à la mode en France, surtout sous la Régence. Ces habitudes sont restées et se sont démocratisées. Le champagne est devenu le vin qui symbolise la fête et la célébration, pour des évènements publics ou privés.

Why does one drink Champagne to celebrate?

Sparkling champagne, as distinct from its ancestor, the still wine from the Champagne region, was very soon associated with festivities of all kinds in the England of the Restoration period (late 17th century), where and when this type of wine was «invented». This period was one of new fortunes and some extravagant behaviour. Sparkling champagne, because of its visibly different and mobile nature (the bubbles), and perhaps also for the rapid effect of "euphoria" it produced on those who drank it, was an ideal drink for such consumers. It was different and amusing. The same was true when, some forty years later, this type of wine became fashionable in France under the Regency. Such habits remained and gradually became more widespread. Champagne thus became the wine used to celebrate all kinds of events, both private and public.

Pourquoi vaut-il mieux boire du champagne dans une flûte plutôt que dans une coupe ?

Les premiers verres à champagne étaient des flûtes de forme conique allongée. La coupe n'a été introduite que vers la fin du XIXème siècle, lorsqu'il était courant de servir un sorbet, parfois arrosé de champagne, au milieu d'un long repas. Cette pratique a disparu, mais la coupe, assortie d'une série de légendes fantaisistes sur l'origine de sa forme (dont l'une dit qu'elle aurait été moulée sur le sein de la Marquise de Pompadour ou de Marie-Antoinette), est restée, surtout dans les buffets de nos grands-parents. La coupe à dessert, pour lui donner son vrai nom, n'est pas idéale pour apprécier un vin de Champagne, car elle laisse s'échapper les arômes dans l'air, au lieu de les concentrer vers le nez. De plus, sa surface large va engendrer une éclosion bien plus rapide des bulles, et sa faible profondeur ne vous permettra pas d'apprécier leur lent cheminement vers la surface. Une flûte, ou un bon verre de dégustation, vous donnera plus de plaisir, surtout si le champagne est de qualité.

Why drink champagne in a long "flûte" glass rather than in an open "coupe"?

The earliest glasses for sparkling champagne were long and thin, allowing the bubbles to rise slowly to the surface. The "coupe", which looks like an open cocktail glass, was only introduced towards the end of the 19th century, when champagne, in Paris restaurants, used to be sweet and was often served in the middle of long meals, poured over a sorbet. This habit is long gone, but the coupe, with its series of legends as to the origin of its shape (one claims that it was modelled on the breast of either Madame de Pompadour or Marie-Antoinette), has somehow hung on, usually in the cupboards of our grandparents. A dessert bowl is hardly the ideal recipient for good champagne, as the aromas will quickly disappear into thin air, mostly missing your nose. As for the bubbles, they will also evaporate much faster, the contact area being broader and the distance to the surface shorter. A flute or a classic tasting glass will give one more pleasure from champagne, especially if it is good.

Pourquoi le vin blanc se boit-il plus frais que le vin rouge ?

La température de service idéale d'un vin est en partie fonction de la température ambiante, et en partie fonction du style du vin. Lorsqu'il fait chaud, par exemple, le corps à besoin de sensations de fraîcheur : on sert donc tous les vins, blancs comme rouges, un peu plus frais à de tels moments qu'au coeur de l'hiver. La majorité des vins blancs semblent, au goût, plus vifs et légers que la plupart des vins rouges. Leur acidité et leurs saveurs délicates sont mieux mises en valeur par une température de service inférieure à 10°C. En revanche, beaucoup des vins rouges révèlent des saveurs plus puissantes, avec moins d'acidité perceptible, et avec surtout la présence de tannins qui peuvent paraître astringents en bouche. Une température trop froide risque d'augmenter cette sensation d'astringence et bloquer le développement des saveurs riches. On les sert donc un peu plus chauds, entre

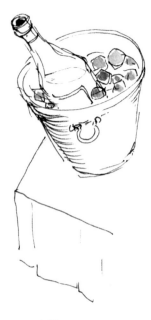

14 et 18°C, mais pas au-delà.
Glacer n'importe quel vin aura pour seul effet d'anesthésier le palais et de vous empêcher de profiter de ses parfums et de ses saveurs. Donc aucun vin, même blanc, ne doit être servi à moins de 6°C.

Why should white wine be served cooler than red?

The ideal temperature of any wine has much to do with ambient temperature, as well as with the style and type of the wine. For example, if the weather is hot, the body requires refreshing: hence all wines, whether white or red, should be served cooler at such times than in the depths of winter. Most wines seem fresher and lighter on the palate than most reds. Their natural acidity and more delicate flavours are enhanced by being served at temperatures generally below 10°C (50°F). On the other hand, many red wines have more powerful flavours and lower noticeable acidity levels, as well as a perceptible astringency that comes from the tannins they contain. Too cool a serving temperature would increase the impression of astringency and block some of the softening flavours. Red wines are therefore served at slightly higher temperatures, between 14°C and 18°C (57°F and 64.5°C). Higher temperatures are to be avoided. Chilling any wine to temperatures below 6°C (42.8F) will simply anaesthetise the palate and prevent you from appreciating aromas or flavours.

Pourquoi boit-on du rosé surtout l'été ?

Purement par habitude, car le rosé peut très bien se boire à n'importe quelle période de l'année, autant qu'un vin rouge ou un vin blanc. On peut dire que les prémisses de la réussite actuelle de ce type de vin est le fait qu'il faut le boire plutôt frais (comme un vin blanc), et que le corps a un besoin naturel de fraîcheur en été. On peut ajouter que, pour ceux qui n'apprécient pas le vin blanc, le vin rosé offre des capacités d'alliance intéressantes avec des plats d'été (salades, poissons, etc.), capacités que n'ont pas beaucoup de vins rouges.

Why does one drink rosé wines mainly in the summer?
Purely through habit, since rosé can easily be drunk at any time of the year, just as much as white or red. One could say that the basis for the current success of this type of wine is that it is best drunk fresh, like a white wine, and that the body seeks more refreshment in hot weather. It should be added that, for those who do not appreciate white wines, rosé has the ability to be matched with a wider range of summer dishes (salads, fish, poultry etc) than most red wines.

Pourquoi certains vins se boivent-ils jeunes et d'autres vieux ?

Les styles des vins varient autant que leur prix. La plupart des vins modernes sont élaborés de manière à ce qu'ils se dégustent bien, même dans leur jeunesse. Certains, comme les beaujolais nouveaux, sont généralement meilleurs jeunes qu'après un an ou deux. C'est aussi le cas de bon nombre de blancs aromatiques. Mais d'autres, qui comptent généralement parmi les vins les plus chers, peuvent être plus agréables à déguster après une garde de quelques années, parfois même de dizaines d'années. Cela dépend de l'intensité de leurs saveurs. Pour un vin blanc, il s'agit surtout d'intensité dans la sensation acide ; dans le cas d'un vin rouge, de sa richesse en tanins. Les tanins sont des substances présentes dans les peaux de certaines variétés de raisins, qui donnent une impression d'astringence en bouche lorsque le vin est jeune. Mais cette sensation se modère avec le temps, pour disparaître au profit d'une texture plus suave et riche, généralement bien plus agréable. Pour simplifier, la plupart des vins vendus à moins de 10 euros sont à boire avant trois ans, tandis que les vins plus chers ont tendance à se bonifier davantage avec le temps. Les limites de ce temps de garde sont liés au goût de chaque consommateur autant qu'à la nature du vin, mais dépendent aussi des conditions de stockage.

Why should one drink some wines young, and others after ageing?
The styles of wines vary as much as their prices. Most modern wines are made so that they are pleasant to drink in their youth. Some, such

as beaujolais nouveau, are even at their best when drunk young. This is also the case for most aromatic white wines, as well as most rosés. But other wines, which are usually of the more expensive kind, can taste better after a few years cellaring. In rarer cases, this may even be tens of years! What will determine this is the intensity of their flavours, and in particular the strength of their tannins (in the case of red wines) and/or their acidity. To make a simple story of it, a wine selling for less than, say, 10 euros is ready to drink as soon as it leaves the shop shelf. More expensive wines often will improve with some ageing. As to the question of how long to age wines, this will depend on three things: the specific wine, the cellaring conditions, and the taste of the drinker.

Pourquoi faut-il éviter de secouer une bouteille de vin ?

Le vin est une substance complexe et parfois délicate. Cela est encore plus vrai pour les vieux vins. Dans le cas d'un vieux vin rouge (plus de 10 ans en général), un dépôt de matière solide se forme sur le côté de la bouteille (si celle-ci est restée couchée). Ce dépôt, qui est le résultat naturel de la lente précipitation de particules présentes dans le vin, serait remis en suspension si la bouteille était secouée, rendant le vin trouble. Dans le cas d'un vin blanc ou de tout vin jeune cela est moins critique, mais il vaut mieux éviter de secouer fortement toute bouteille de vin. De toute façon le vin sera assez remué par le fait de le verser dans le verre.

Why should one avoid shaking bottles of wine?
Wine is a complex and often delicate substance. This is doubly true for older wines.
In the case of an older red wine (generally over 10 years old), a deposit of solid matter often forms on the side of the bottle (if this has been stored lying down). This deposit is the result of a natural sedimentation process formed by solid matter in suspension in the wine. If the bottle is shaken, this deposit will be mixed with the wine making it cloudy.
In the case of a white wine or a younger red this is obviously less of a problem, but, in any event, it is preferable not to shake the wine too much. Pouring it into the glass will provide plenty of movement anyway.

Pourquoi y a-t-il du dépôt dans certaines bouteilles ?

Un dépôt de matière solide dans une bouteille peut avoir différentes causes.

Si le dépôt est fait de cristaux blancs, il s'agit de bitartrate de potassium, qui est le résultat d'une précipitation d'acide tartrique sous une forme cristalline. Cette substance est naturellement présente dans tous les vins au départ, et peut précipiter si le vin a été exposé à des températures inférieures à -5°C. Elle peut concerner tous les vins mais sera plus visible dans un vin blanc. Ces cristaux n'ont d'incidence ni sur la santé du buveur, ni sur le goût du vin.

Dans un jeune vin rouge, si celui-ci n'a pas été filtré par le producteur, la bouteille peut contenir un léger dépôt de couleur brun-rouge. Dans ce cas, il s'agit de matières solides qui se sont sédimentées dans la bouteille. Une fois de plus, ce n'est pas très gênant, sauf pour l'apparence et, éventuellement, pour une légère sensation granuleuse en bouche.

Enfin, des vins rouges ayant vingt ans et plus peuvent présenter un dépôt constitué de plaquettes sombres. Dans ce cas, la couleur du vin a un peu pâli, tout en virant vers la brique, le brun ou l'ambré. Le dépôt est constitué de tanins et d'éléments colorants qui précipitent en s'agglutinant avec le temps. La bouteille ayant été couchée longtemps, ce dépôt se trouvera sur le côté de celle-ci. Dans certains cas, le volume de ce dépôt peut atteindre la valeur d'un demi verre. Ces vins ont besoin d'un carafage très doux pour séparer le solide du liquide. Il faut d'abord mettre la bouteille debout dans un lieu frais, afin de laisser le sédiment descendre au fond. Cela prend quelques heures. Ensuite on ouvre doucement la bouteille, en enlevant complètement la capsule métallique autour du col. Il faut souvent « ruser » pour extraire le bouchon dans le cas de vieux flacons. Le mieux est d'utiliser un tire-bouchon Bilame. On verse ensuite, d'un seul mouvement doux et progressif, le vin dans une carafe de capacité équivalente à celle de la bouteille. Il vaut mieux faire cela devant une source lumineuse forte. Une petite lampe à diodes conviendra très bien. Une bougie peut aussi faire l'affaire. Il faut guetter l'arrivée du dépôt dans l'épaule de la bouteille pour arrêter de verser au moment où il atteint le col. On peut gagner un peu plus du précieux nectar en reprenant après une pause. On bouche ensuite la carafe, car les vieux vins sont bien plus fragiles à l'oxygène que les jeunes. Quant au dépôt, il est délicieux sur une tartine !

Why do some bottles of wine contain deposits of solid matter?

Solid matter in a bottle if wine can have different causes.

If the deposit is composed of white crystals, this is potassium acid tartrate which has crystallized from substances contained in the wine under cold conditions (well below water's freezing point). Tartaric acid is a natural component of all wines, in varying proportions. These crystals, which can exist in all wines but are more visible in whites, do not affect the flavours of the wine and are of no danger.

Certain deeply coloured young red wines, if they have not been filtered in any way, may throw a slight deposit of solid matter that is of a brown-red-purple colour. Here again, this is not a problem apart from the appearance and the slightly granulous texture that may be noticeable in the last glass.

Finally there is the case of much older red wines (10 to 50 years or more) that often show a deposit of larger, flakey-looking, dark substances. In such cases, the colour of the wine will have gone from purple (in its youth) to a brick red. The deposit is formed by the colouring matter of red wine that has combined with tannins and other substances, forming long chains of molecules that will gradually settle on the side of the bottle (if this has been aged lying down). In some cases, the volume of solid matter may even fill a glass! In order to separate the solid from the liquid, one places the bottle upright in a cool place for several hours to allow the sediment to settle at its base. Then the bottle is carefully opened and the foil removed. One has to be particularly careful with corks over 20 years old which often break or crumble! Use the Bilame twin-blade corkscrew. The wine is then poured, in a single, gentle movement, into a decanter of adequate capacity. It helps to have a strong light source placed behind the neck of the bottle, as one can then see when the sediment has reached the neck and stop pouring. At this point, if the bottle is placed upright again, one can gain a few more drops of the precious liquid. The decanter should be stoppered while awaiting service, as an old wine can be fragile. The residual deposit can be excellent when spread on a slice of toast!

Pourquoi existe-t-il des bouteilles de formes différentes ?

Les formes de bouteilles sont l'expression de traditions et de savoir-faire régionaux, parfois aussi de contraintes techniques. La plupart des modèles actuels étaient déjà esquissés au début du XIXème siècle dans un format souvent plus trapu et plus court. Certaines bouteilles, comme le fiasco toscan ou le bocksbeutel de Franconie, par leurs formes très ventrues et arrondies, rappellent les premiers modèles soufflés à la bouche. Les modèles les plus courants sont la bouteille bordelaise (ou frontignan), avec un fût allongé et un épaulement carré (qui permet, dans une certaine mesure, de retenir l'éventuel dépôt), et la bouteille bourguignonne au fût plus court et plus large et aux épaules douces et tombantes. Par extension, et à cause du prestige ancien de ces deux régions, ces modèles ont fait école : les vins de chardonnay du monde entier sont souvent logés dans des bouteilles bourguignonnes et les cabernet-sauvignons et merlots dans des bouteilles bordelaises. La flûte allemande, à la forme élancée, est utilisée en Alsace, et sert aussi à contenir les vins issus du riesling ou du gewurztraminer, quelle que soit leur provenance. Les formes des bouteilles correspondent donc aussi largement à des styles de vins. Quelques autres modèles régionaux ont su se maintenir comme le clavelin (62 cl) dans le Jura pour le Vin Jaune.

Why are wine bottles sometimes of different shapes?

Bottle shapes, prior to the gradual industrialisation of the manufacturing process, varied quite a bit from one manufacturer to another, and from region to region. Technical and legal constraints also had their effect on the evolution of shapes and sizes of bottles. Most of the current shapes used were already in existence in the early part of the 19th century, albeit in somewhat more chunky versions. Certain rarer bottles, like the Italian fiasco (which used to be fashionable in the 1960's) or the German bocksbeutal, have remained similar to earlier hand-blown forms. Shapes are now not that numerous compared with former times. The two most widespread shapes are the bordeaux-type bottle, sometimes also called the "frontignan", with its squarish shoulders that are useful when decanting an old wine as they slow down the progression of sediment towards the neck, and the burgundy bottle with its sloping shoulders and shorter trunk. Because of the prestige of these two regions of France, these two shapes now account for at least

80% of wine bottled in the world. But there is also the longer, more tapered and more slender bottle called a flute and used in Germany, Austria and Alsace, as well as for riesling and gewurztraminer wines around the world. Apart from this latter case, as the other two main shapes are used for all types and colours of wines, it is impossible to associate a specific type of wine with one bottle shape. There are some rare exceptions, such as the squat clavelin bottle with its unusual 62 cl capacity, used exclusively for the French Jura region's Vin Jaune.

Pourquoi faut-il couper la capsule sous la bague de la bouteille ?

Ce n'est évidemment pas une obligation, mais cela permet, assez facilement, d'obtenir une coupe nette car la lame de votre couteau est guidée par l'arrête inférieure de la bague si vous l'orientez vers le haut, tout en tournant la bouteille. Autrefois, lorsque les capsules étaient faites de plomb (ou d'alliages contenant du plomb), cela permettait aux maniaques de la sécurité alimentaire d'éviter tout contact entre la capsule et le vin. Mais le plomb est aujourd'hui interdit dans les capsules et il n'y a plus aucun danger à permettre un contact entre la matière des capsules modernes et le vin.

Why should one cut the foil on the top of a bottle below the ring that stands out?
This is not obligatory, but it does facilitate obtaining a clean cut by pulling the knife upwards against this ring as you twist the bottle. In former times, when foils were made with a lead-based alloy, this avoided any contact between the wine and the metal. But lead is no longer allowed in any substance that could be in contact with food and wine, so there is no health risk involved here.

Pourquoi sert-on le vin dans des verres à pied ?

Pour deux raisons. La première est esthétique, car cela rend plus facile l'appréciation des nuances de la couleur du vin, à condition que le

verre soit incolore.

La deuxième est liée à la température idéale du service du vin. On peut facilement tenir un verre à pied par la jambe, évitant ainsi de chauffer le vin contenu dans le calice. La température du corps étant supérieure à la température de service de tout vin, il vaut donc mieux éviter ce contact-là.

Why does one serve wine in glasses with stems?

For two reasons. The first is aesthetic, as it makes it easier to appreciate the nuances in the wine's colour, provided the glass is clear. The second has to do with the ideal temperature for tasting the wine, as it is easy to hold a stem glass without putting one's hands on the bowl and thus warming the contents, as the body's temperature is above that recommended for any wine.

Pourquoi doit-on remplir les verres au tiers de leur contenance ?

Ce n'est pas du tout une obligation, juste un conseil pour faciliter l'appréciation d'un des plaisirs d'un bon vin : ses arômes. Ces arômes arrivent au nez par évaporation au contact de l'air, et ils y arrivent plus nombreux et plus facilement si le « ballon » du verre contient un volume d'air important. D'autant plus que, pour permettre l'évaporation des arômes les moins volatiles, il est utile de remuer un peu le vin dans le verre, en faisant tourner ce dernier. Avouez que cela ne serait pas aisé si le verre était rempli à raz bord. Un tiers est la proportion la plus souvent pratiquée dans des verres à vin.

Why should one only fill a wine glass to a third of its capacity?

This is by no means an obligation, just a word of advice to facilitate the appreciation of one of the pleasures of wine: its aromas, or bouquet. Aroma molecules reach the nose by evaporating from the wine at its contact point with air. They will be more numerous if the volume of air in the bowl of the glass is bigger, as well as the surface area. And this is especially true of the less volatile aromas which often need to be encouraged to the surface by swirling the wine in the glass. It is easy to see that this would be a difficult task if the glass was very full! A third is usually about the right proportion of fill in most wine glasses.

Pourquoi le vin rouge tache-t-il autant ?

Chacun(e) a pu s'en rendre compte : le vin rouge tache ! Sont en cause les anthocyanes, ces pigments naturels contenus dans la peau des raisins rouges que l'on extrait pendant la fermentation et qui colorent le jus (qui est incolore à l'origine). Ce sont ces mêmes anthocyanes dont les médecins vantent les vertus anti-oxydantes, à condition, bien sûr, d'être ingérées et non répandues ! On les retrouve aussi dans d'autres baies comme la myrtille, la mûre, la cerise ou le cassis, qui font des taches tout aussi redoutables. Sur une tache « fraîche », on peut utilement répandre du lait bouillant, ou tamponner avec du vin blanc, puis avec de l'eau pure ; sur une tache sèche, le mieux est encore le laver à l'eau froide avec une lessive liquide (sans garantie d'un résultat impeccable). L'alcool à brûler, ou dénaturé, donne aussi de bons résultats.

Why does red wine leave stains that are so hard to remove?
Everybody who has drunk some red wine around anything white will know how effective it is as a stain! The active agents here are anthocyanins, which are natural pigments to be found in the skins of red (or black) grapes. These are extracted from the skins during fermentation and have the effect of colouring the otherwise white grape juice when making a red wine. Medical research tells us that these substances also have antioxidant properties, including on the human body when the wine is consumed. They are also to be found in other red and

black berry fruit, such as cherries, blackberries, blackcurrants, and blueberries, and indeed these can stain a white tablecloth just as badly as red wine. What can one do about the stains? Apart from using stain removers, one can immediately spread some hot milk on the stained area and withdraw as much of the coloured liquid as possible. Then white wine can be fairly effective as an antidote, prior to rinsing with water. Distilled pure alcohol can also work as a solvent.

la couleur du vin

the colours of wine

pourquoi le vin rouge est-il rouge ?

Le vin rouge tire sa couleur de la peau des raisins rouges (ou noirs, car on les appelle parfois ainsi). La pulpe d'un raisin noir est presque toujours incolore. Pendant la vinification, le jus se colore par un processus de macération. Les raisins (ou grappes de raisins) sont mis dans la cuve de fermentation après avoir été légèrement foulés, ou parfois encore entiers. La fermentation démarre par l'action de levures, convertissant le sucre du raisin en alcool, et accessoirement faisant monter la température de la masse de jus et de peaux. Sous le double effet de la chaleur et de l'alcool, des particules colorantes contenues dans les peaux de raisins sont libérées, teintant progressivement le vin. Plus longue sera la période de macération, plus intense sera la couleur du vin. Mais la coloration des peaux des différentes variétés de raisins rouges est également variable dans son intensité. Ainsi, un vin issu de gamay ou de pinot noir sera moins foncé qu'un vin provenant du cabernet sauvignon ou de la syrah.

Why is wine red?

The colour of red wine comes from the skins of red (or black) grapes. The juice inside a red (or black) grape is almost always colourless, but, during the winemaking process, colour is leached from skins to the juice, during both fermentation and maceration phases. Grapes (or bunches of grapes) are placed in fermenting tanks having been lightly crushed. Sometimes they go into tanks when still whole. Fermentation takes place through the action of yeasts on sugars contained in the grapes. Yeasts convert sugars into alcohol, producing some gas and a rise in temperature in the mass of grape juice and skins. Under the combined effect of skin to juice contact, growing levels of alcohol, and higher temperatures, pigmentation in the skins is released into the juice as it becomes wine

The colour generally deepens as the process lasts. But not all grape varieties have the same amount or intensity of pigmentation in their skins. For instance a wine made with gamay or pinot noir will rarely have as deep a colour as one made with cabernet sauvignon or syrah.

Pourquoi le rouge du beaujolais est-il plus clair que celui du cahors ?

Cela vient, en partie, d'une différence entre les deux variétés de raisins utilisés pour élaborer ces deux vins. Au passage, notons que l'AOC Cahors n'admet que des vins rouges, tandis qu'un beaujolais peut être rouge, rosé ou blanc, bien que le rouge représente 97% de la production. Pour faire un beaujolais rouge, le seul cépage admis est le gamay (gamay noir à jus blanc) qui possède une peau relativement fine et peu colorée. De surcroît, les temps de macération dans le Beaujolais sont assez courts (une semaine environ). Ainsi, la couleur des vins n'est pas très intense. Le cépage majoritaire à Cahors est le malbec, secondé par le merlot. Les deux possèdent des peaux bien plus épaisses que celle du gamay, et la durée des macérations de ces peaux dans le vin nouvellement fermenté est bien plus longue à Cahors (2 à 3 semaines) que dans le Beaujolais. Tout cela donne aux vins de Cahors une robe très foncée, à tel point qu'ils étaient dénommés « Black Wines » dans l'Angleterre du Moyen Age.

Why is beaujolais paler in colour than malbec from Argentina?

This is mainly due to intrinsic differences in the colour structure of the skins of the two grape varieties concerned: gamay in the case of beaujolais, and malbec in the other. The skin of the gamay grape is relatively thin and contains smallish quantities of colouring substances. In addition the maceration period for producing beaujolais wines is quite short: around a week or so. Thus the colour of these wines is rarely deep. The skins of malbec are thicker and more deeply coloured than those of gamay. And maceration periods, which engender the transfer of colour from skins to juice/wine, are far longer than in Beaujolais: around three weeks. The combined effects produce a very dark colour. Gamay is also to be found in some other wines, particularly in the Loire region of France. Malbec came to Argentina, where it is now the most planted grape variety, from South-West France, where it forms the vast majority of plantings in Cahors.

Pourquoi le vin blanc est-il blanc ?

Le vin blanc est blanc parce que le jus de presque tous les raisins est incolore. En réalité, aucun vin n'est véritablement blanc, ce mot étant un descriptif très approximatif. Les couleurs des vins « blancs » peuvent varier du vert très pâle au jaune ocre, voire à l'ambré pour certains vins. Lorsqu'on coupe un raisin en deux, la pulpe est d'un ton vert pâle et translucide, que ce raisin soit rouge ou blanc. Pour cette raison, on peut faire un vin blanc avec des raisins noirs ou blancs, à condition de presser les raisins avant la fermentation. Les peaux sont ensuite écartées et le jus est fermenté seul. Si la plupart des vins blancs sont faits avec des raisins blancs, il existe des exceptions notables en Champagne.

Why is wine white?

White wine is not actually white in colour, as anyone can see by putting a sheet of white paper against a glass of white wine. But let's call it that to simplify matters. Colours of a white wine vary from a very pale grey-green to deep yellow and even amber. When one opens a grape by cutting it in two with a knife, the centre is a kind of translucid pale green, both for red and white grapes. This explains why it is technically possible to produce white wines with either white or red grapes, even if most white wines use only white grapes. To make a white wine, the grapes are gently pressed and the skins discarded before fermentation. A good example of a white wine made (partially or entirely) with red grapes is champagne.

Pourquoi fait-on du vin blanc avec des raisins rouges ?

On le fait rarement pour les vins tranquilles, mais couramment pour les vins effervescents. Par exemple, les deux tiers des raisins qui produisent du champagne sont noirs (rouges). Cela est dû à une forte présence historique de deux cépages rouges en Champagne : le pinot noir et le pinot meunier. Les vins de Champagne étaient tranquilles et majoritairement rosés (gris) avant de devenir mousseux et majoritairement blancs, entre la fin du XVIIème et la fin du XIXème siècles. Et on s'est rendu compte que ces deux cépages rouges conféraient caractère et finesse à ce nouveau type de vin effervescent. On les a donc gardés, en adaptant la technique de pressurage (très douce, et avec des grappes entières, afin d'éviter une trop grande coloration des jus).

Why would one make a white wine with red grapes?

This does not happen often in the case of still wines, although it is technically possible. But it is the case with a majority of champagnes, and with some other sparkling wines. Two thirds of the grapes plated in the Champagne region are in fact red (or black). This is due to a long-standing presence of two red grape varieties in Champagne: pinot noir and pinot meunier. Wines from Champagne used to be almost exclusively pale red or rosé, and free from bubbles until the end of the 17th century. Sparkling champagne only became the main local production during the late 19th century. Both these varieties add finesse and personality to sparkling wines and they were therefore kept, whilst grape pressing techniques were adapted to prevent the juice from colouring.

Pourquoi le vin rosé est-il rosé ?

On pourrait penser qu'il suffit d'assembler un peu de vin rouge à une majorité de vin blanc pour faire un vin rosé. Et on aurait entièrement raison. D'ailleurs, c'est comme cela que sont produits les vins rosés les plus chers du monde : les champagnes rosés. Mais il existe d'autres techniques, qui, pour des raisons d'intérêts particuliers, se sont imposées dans l'Europe de la CEE, même si la technique d'assemblage reste autorisée ailleurs. Ces techniques sont de deux types principaux. La première est le pressurage direct de raisins rouges, qui rendent un jus clair mais légèrement teinté de rose, qui est ensuite fermenté. Ces vins s'appellent rosés de presse ou de goutte, parfois « gris » pour leur ton très pâle.

La seconde technique est celle dite de la saignée. On met des raisins rouges (ou des rouges mêlés à des blancs) dans une cuve. Après un début de fermentation et lorsque la couleur du jus a atteint le niveau d'intensité souhaité, on retire ce jus (on dit « saigner » la cuve), en abandonnant les peaux. Ensuite la fermentation de ce jus se poursuit, comme pour un vin blanc ou un rosé de presse. Il est évident que plus les peaux des raisins rouges contiennent de la couleur, et plus le contact avec ces peaux est prolongé, plus le rosé en question sera foncé et aura des similitudes gustatives avec un vin rouge.

Why is wine pink (or rosé)?

One might think that this is just a matter of blending a bit of red wine with a majority of white wine. And one would be partially right, as this process works very well. Indeed it is used to make what must be the most expensive of all rosé wines: champagne rosé! But there are other techniques, which, for various reasons, including the protection of local vested interests, have imposed themselves throughout most European countries. There are two main processes, with minor variations. The first technique is that known as "press rosé", and the resulting wines are usually very pale, sometimes called "gris" or "blush". Colour comes from red grapes and skin contact prior to and during the pressing operation. The pressed juice is then fermented as for a white wine. The second technique is known as "saignée", and uses red grapes that have been partially crushed before they are placed in a fermenting tank. They may remain there for anything between a few hours and a few days before the juice is run off, having achieved the degree of colour desired for that particular wine (also see question on red wine). The term "saignée" means "bled off". This pink coloured juice finishes its fermentation away from the skins in another tank. The longer the contact with the skins, the darker the colour, but, here again, different grape varieties produce different degrees of colour.

Pourquoi la couleur du vin renseigne-t-elle sur l'âge du vin ?

La couleur du vin s'altère dans le temps sous l'effet du contact entre le vin et l'air. Cet effet s'appelle oxydation, et a pour résultat visible un brunissement progressif de la couleur de tous les vins. La rapidité de ce changement va dépendre de la nature du vin et de son élaboration, mais aussi des conditions de stockage et de la relative étanchéité des systèmes de fermeture de la bouteille. Dans le cas d'un vin rouge, ce brunissement, qui peut prendre plusieurs années, voire des décennies, s'accompagne d'une perte, par la lente précipitation de particules colorantes en suspension, de la couleur bleu-violet qui provient des anthocyanes (dans la peau des raisins). Ainsi un vin rouge de Bordeaux, par exemple, aura une couleur intense et sombre dans sa jeunesse qui va progressivement s'éclaircir et virer, petit à petit, vers le rouge foncé, puis vers la brique foncée, pour finir dans les tons plus clairs et ambrés.

En ce qui concerne le vin blanc, il n'y pas de perte de couleur car il n'y a pas de particules colorantes. Au contraire, l'oxydation progressive va foncer graduellement la couleur du vin blanc. Un chablis par exemple, très pâle dans sa jeunesse et d'un ton jaune-vert, va devenir de plus en plus doré, pour finir, au bout de décennies, dans les tons ambrés. Mais chaque type de vin à sa propre composition et donc son propre profil d'évolution de robes.

Why does the colour of a wine tell us something about its age?

The colour of wine will alter over time, through the effect of contact between the wine and air. This is also true for wines in bottle, as they always contain some air.

This effect is one of the results of a process known as oxidation, which gradually makes all wines take on brownish tinges to their colour. The speed of this change in colour will vary according to the nature of the wine, as well as storage conditions and the quality of the seal provided by the closure system (cork or other) of the container. In the case of red wine, this "browning" of the colour may take several years, or even tens of years. It is accompanied by a loss (through precipitation of some solid particles) of the purplish colouring elements, called anthocyanins, that are noticeable in young wines and which come from the grape skins. Hence a red Bordeaux wine, for instance, will have a deep dark purple colour in its youth, which will gradually turn to deep red and then to a brick red with tawny tinges, before finishes its life, decades later, with just shades of brown. As to white wine, this tends to gain, rather than loose, in coloration. Progressive oxidation first enhances the yellow tones before producing amber tinges. A very old white wine may well be brown. Each type and colour of wine will show its own pattern of changes, which can also be affected by storage conditions.

L'odeur du vin
The aromas of wine

Pourquoi le vin sent-il rarement le raisin ?

On pourrait répondre par une autre question : quel est l'arôme du raisin ? Il existe en effet une très grande diversité de cépages utilisés pour faire du vin, et ils ont tous des arômes différents. Néanmoins, si le vin est fait uniquement avec le raisin comme matière première, il est vrai que les arômes d'un vin rappellent rarement le raisin. Il y a quelques exceptions, comme les vins issus du cépage muscat par exemple, mais cette règle est assez générale. En dehors de la diversité des arômes intrinsèques de chaque cépage, la cause principale de ce phénomène, à priori surprenant, est la transformation de la matière du jus de raisin par le processus fermentaire et les techniques d'élevage du vin. Ces transformations modifient profondément la chimie du jus de raisin, y compris dans ses composants aromatiques. Les arômes d'un vin jeune peuvent évoquer différentes « familles » d'arômes : des fleurs, des fruits, des épices, etc. Ce n'est pas tant qu'un vin sent exactement comme un citron, une rose, ou du poivre, par exemple. Il s'agit plutôt d'analogies que nous utilisons pour expliquer des ressemblances et des évocations. Et il ne faut jamais oublier que tout cela est très personnel, car chacun est sensible à des arômes différents. Contrairement aux sons, ou aux couleurs, qui sont perçus de manière similaire par tous, on ne peut jamais être sûr que la personne en face de soi, qui est en train de sentir le même vin, vit exactement la même expérience olfactive, par manque aussi d'un lexique commun précis pour décrire les odeurs.

Why does wine so rarely smell of grapes?

One could answer this by another question: what exactly is the smell of grapes? Given the huge diversity of grapes used to make wine, there are many different smells that derive from them. But it is true to say that, despite the fact that wine is made only with grapes as the raw material, the aromas of a wine very rarely remind one of the grape. There are a few notable exceptions, such as wines made with the muscat varieties. Apart from the diversity of the aromas that are inherent to each variety, the main reason for this surprising absence of "grape" aromas is the transformation of grape juice into wine and the ensuing ageing process. These profoundly alter the complex chemistry and hence the associated aromas. Smells in a young wine can evoke different aromatic "families": flowers, fruit, spices and so on. It's not so much that a wine smells exactly like a particular member of one of these families, but more that it is reminiscent of such substances. These analogies are useful to us when we try to explain our sensations in relation to a wine. One should never forget that such things are highly personal, as we all have different levels of perception for various aromas. One can never be sure that the person with whom we are sharing a glass of wine will smell and taste it exactly as we do. And this also has to do with different levels of vocabulary used to identify and describe, however approximately, aromas we may pick up.

Pourquoi dit-on que les vins blancs ont des odeurs de « fruits blancs » et que les vins rouges ont des odeurs de « fruits rouges » ?

Il est très difficile de soutenir de telles affirmations, même si elles sont régulièrement proférées au cours de dégustations, car les odeurs émises par les vins blancs et les vins rouges sont bien plus variables que cela. Certains vins blancs ont des arômes proches de certains fruits blancs, d'autres d'agrumes, d'autres de miel, d'autres de fleurs, d'autres de légumes, voire de fruits rouges. Et beaucoup de vins contiennent toute une gamme d'arômes, rendant parfois difficile l'identification d'un seul, ou même d'une seule « famille » aromatique (fleur, fruit, etc.). Enfin, on ne peut pas écarter l'influence considérable de la vision sur la construction d'analogies olfactives. Une expérience simple l'a prouvé. Dans une faculté en France, des élèves en cours de dégustation se sont vus proposer 6 échantillons de vins blancs jeunes à

déguster et à commenter. Les vins étaient numérotés de 1 à 6, sans autre identifiant. Les descripteurs utilisés par les dégustateurs pour qualifier les odeurs de ces vins mentionnaient, très majoritairement, des fruits blancs et jaunes, ou des agrumes. On leur a ensuite présenté 6 vins rouges jeunes, numérotés de 7 à 12. Cette fois-ci, les descripteurs des odeurs mentionnaient presque systématiquement des fruits rouges ou noirs. A la fin de l'exercice, on a révélé que les 6 échantillons « rouges » étaient en réalité les mêmes vins que la première série de 6 vins blancs, auxquels on avait rajouté des proportions variables d'une teinture rouge alimentaire, sans odeur ni saveur. Le vin numéro 1 était donc identique au vin numéro 7, et ainsi de suite. Cette expérience illustre parfaitement à quel point nous pouvons être influencés par notre vision, qui est notre sens dominant.

Why do most white wines smell of « white » fruit, and most red wines of « red » fruit?

It is not easy to sustain such affirmations, although they frequently arise in the course of tasting comments. In fact, the aromas of both white and red wines are far more variable than this. Some aromas found in certain white wines may indeed be reminiscent of white fruit (such as apples or pears), but others are closer to citrus fruit, flowers, honey, vegetables, spices or even red fruit. Many wines contain quite a wide range of aromas which, when combined, may be quite hard to identify separately. Above all, one cannot exclude the considerable

influence of our vision on the construction of aromatic analogies of this type. This was proven by a simple experiment. In the wine studies department of a French University, a group of pupils were given a series of six white wines to taste and comment. These were identified simply by numbers, from 1 to 6. The aromas they found in these wines often included white or citrus fruit. Then they were given 6 reds wines, numbered from 7 to 12. Here some of the aromas appeared to them to be strongly reminiscent of red or black fruit. When the tasting was finished, it was revealed that the two sets of wines were in fact identical, but the "red" set had simply been coloured by the addition of variable quantities of an odourless and flavourless food dye. Apart from their colours, wine number 7 was therefore identical to wine number 1, and so on. This experiment proves just how influential our vision (and wine-tasting "linguistic conventions") can be on our other sensory perceptions.

Pourquoi certains vins ont-ils une odeur de bois ?

Conserver le vin dans un récipient en bois est une pratique très ancienne, qui remonte au moins au IIIème siècle, comme l'attestent des bas-reliefs gallo-romains. Pendant longtemps, le tonneau en bois était, avant tout, un ustensile de transport, pratique car robuste et pouvant être roulé. Avec le temps, on a découvert que ces tonneaux ou barriques avaient d'autres vertus, car ils facilitaient, dans les chais, une clarification du vin, tout en arrondissant certaines de ses caractéristiques gustatives les plus agressives. Pour les vins qui étaient expédiés loin de leur lieu d'origine, les barriques ayant servi de contenants n'étaient pas retournées au vigneron, pour des raisons de coût de transport. Il fallait donc employer des barriques neuves chaque année. On s'est aperçu que ces barriques neuves influençaient encore plus fortement les arômes et le goût du vin. De nos jours, bon nombre des vins les plus chers sont élevés, en totalité ou partiellement, en barriques neuves, et, dans de nombreux cas, cela se sent dans les odeurs qu'ils dégagent.

Why do some wines smell of wood?

Storing and transporting wine in wooden vessels is a long-standing practice that goes back to around the 3rd century, as one can see from gallo-roman images. For a long time, wooden barrels of various shapes and sizes were essentially used for transporting wine, as they are robust and can easily be rolled on and off wagons or ships. In the course of time, it was discovered that these barrels had other virtues. For instance, in the cellars, they helped the wine not only to clarify itself, but also to round out its youthful edges, both in terms of tannins and acidity. In the case of wines transported to distant markets,

barrels were not returned to the shipper on account of transport costs.
Therefore new ones were used for each vintage. The effect of these
on the flavours of wines was observed. Nowadays, many of the most
expensive wines in the world are raised entirely or partially in new oak
barrels, and thus wood aromas can often be noticed on these wines.

Pourquoi certaines personnes reconnaissent-elles facilement les arômes ?

Le mécanisme olfactif d'un individu fait partie de son corps comme la couleur de ses yeux ou la forme de son nez. Il est donc particulier à cet individu. Ce mécanisme, constitué du bulbe olfactif et de ses multiples cils de captation des molécules odorantes, ainsi que du système nerveux de transmission de données vers le cerveau, est également d'une très grande complexité. Il n'est donc pas étonnant que des variations importantes de sensibilité et d'acuité existent entre un individu et un autre. Dans le roman *Le Parfum*, de Patrick Süskind, on a un exemple extrême de sensibilité olfactive. En plus de l'aptitude naturelle, plus ou moins grande, l'expérience et l'entraînement peuvent jouer un grand rôle dans le développement des capacités d'un individu.

Il semblerait également que chaque individu possède ses propres seuils de perception pour chaque type d'odeur. Par exemple, Catherine est très sensible à l'odeur de citron, et est capable de la détecter dans des quantités infimes, tandis que Judith y est beaucoup moins sensible mais capable de détecter l'odeur de la fraise bien plus facilement que Catherine.

Quant à l'expérience, quelqu'un vivant à la campagne entouré de fleurs et de plantes aromatiques aura tendance à développer une certaine sensibilité à ces types d'odeur, comme la capacité à les identifier correctement. Un individu qui s'entraîne à identifier des odeurs peut améliorer sa capacité, tout en abaissant un peu ses seuils de perception. Un « nez » (un compositeur de parfums) est capable, dit-on, d'identifier des centaines d'arômes.

Why are some people able to recognize certain smells so easily?

The olfactory mechanism of each individual is part of his or her
physiological constitution, just like the colour of eyes or the shape of a

nose. It is therefore unique to each person. This apparatus is basically composed of an olfactory bulb and its multiple cilia that capture aroma molecules, as well as the nervous system that transmits signals to the brain, and which is extremely complex. It is therefore not surprising that there are considerable variations between the sensitivities and perception thresholds of different individuals. In his novel Perfume, Patrick Süskind gives us an extreme example of olfactory sensitivity. But, in addition to natural aptitudes at whatever their levels, experience and practise can play a considerable part in developing an individual's capacity to identify smells.

To complicate things further, it would appear that each individual has distinct thresholds for the perception of every aroma. Georges is particularly sensitive to the smell of lemons, for example, and can pick up a whiff of lemon from afar. On the other hand Victor can only recognize the smell of a lemon when he has one under his nose, but can detect the aroma of a strawberry in the next room, unlike Georges.

As to experience, someone who lives in the countryside, surrounded by plants and flowers, will be more likely to recognize this type of aroma than someone living in a city. Practising identifying aromas will help to improve one's capacity by lowering perception thresholds. A perfume composer (or "nose") is said to be able to identify hundreds of different smells.

Pourquoi certains vins sentent-ils le moisi ?

Il peut y avoir plusieurs causes, mais la plus courante est celle que l'on appelle le « goût de bouchon ». Celui-ci est provoqué par une substance très puissante, nommée 2-4-6 trichloroanisole, et dont une quantité infime peut provoquer, dans n'importe quelle substance comestible, ou dans un matériau absorbant comme le liège, des odeurs et saveurs fortement désagréables qui rappellent le moisi. L'origine du TCA (sa désignation raccourcie) est une réaction entre le chlore et des phénols organiques donnant du trichlorophenol qui, à son tour, réagit avec l'humidité pour former du TCA. Parmi les supports qui hébergent cette substance malodorante on trouve le bois de charpente, le bois des caisses ou de palettes, et le liège. Il suffit de 2 nano grammes par litre pour affecter un vin. On estime qu'entre 3 et 5% des vins sont affectés par ce « goût du bouchon », mais les proportions sont très variables d'un lot de bouchons à un autre. L'odeur de moisi dégagée peut être plus ou moins forte. Sa version faible évoque l'odeur du liège, mais la version concentrée est très désagréable, plus proche du bois moisi ou pourri.

Why do some wines smell mouldy?

There are several possible causes for this, but the most frequent is what is known as cork taint. A wine is said to be "corked" when the cork has been affected by a very powerful substance called 2-4-6 trichloroanisole of which microscopic quantities can produce, in any drink or foodstuff, via the air or an absorbent material such as cork, unpleasant smells that are reminiscent of mould or rotting wood. The origin of TCA (to give its shortened designation) is a reaction between chlorine and organic phenolics which produces trichlorophenol. This, in turn, interacts with humidity to produce TCA. Absorbent materials, such as wood or cork, can then harbour this and transmit its effect

to wine. As little as 2 nanograms per litre will have a noticeable effect. It is sometimes estimated that between 3 and 5% of all bottles of wine sealed by whole cork are affected, but proportions vary considerably from one batch to another, and the strength of the smell imparted will also vary in intensity. Noticeable "cork taint" is quite unpleasantly mouldy and puts one off wanting to drink that bottle. This drawback for corks (there are others) has created a growing number of producers to use alternative forms of closures for wine, such as screwcaps.

Pourquoi certains vins ne sentent-ils rien du tout ?

Cela peut arriver, mais les causes peuvent être très diverses. Tous les vins ne possèdent pas une quantité identique de molécules odorantes. On dit de certains vins qu'ils sont « aromatiques », signifiant qu'ils dégagent un volume important d'odeurs, généralement assez reconnaissables (un exemple serait les vins issus du cépage gewurztraminer). Au contraire, d'autres sont naturellement peu aromatiques. Une odeur est plus ou moins volatile (elle peut évoluer d'un milieu à un autre) selon différentes conditions. Par exemple, un vin servi très froid sentira bien moins fort que le même vin servi à une température plus élevée. D'autres facteurs physiques de l'environnement peuvent affecter la perception des arômes d'un vin, comme la pression atmosphérique, l'humidité ou la présence d'autres odeurs dominantes dans la pièce. Il est quasiment impossible d'humer un vin dans une fromagerie, par exemple ! Une très forte interférence venant d'une autre voie de perception sensorielle va également fortement diminuer la perception olfactive. Essayez de sentir un vin pendant un concert de rock ou un opéra !

Mais, très souvent, l'absence apparente d'odeurs dans un vin est liée à une mauvaise condition physique. Lorsqu'on a un rhume ou lorsqu'on est fatigué, il est difficile de se concentrer et de bien sentir. Enfin, certaines personnes souffrent d'un handicap sensoriel appelé anosmie, temporaire ou permanent, qui les empêche de pouvoir sentir quoi que ce soit.

Why do some wines smell of nothing at all?

This can happen, but the reasons may be totally different. Not all wines contain the same aromatic molecules, nor the same quantities of these. Some wines are reputed to be "aromatic", which signifies that they give off considerable amounts of smells which are often therefore quite recognizable. A good example would be wines made with the gewurztraminer grape. But others have low levels of aromatics, and this may be a permanent or a temporary state, since wines are not chemically stable. Then again, smells are more or less volatile according to environmental conditions such as temperature. A wine served chilled will smell less than the same wine served at a higher temperature.

Other environmental factors, like atmospheric pressure, humidity, or the presence of other smells in the room may also affect one's perception of a wine. Just try smelling a wine in a cheese shop! Interference in sensorial capacity can also stem from another sense being powerfully occupied. You would find it very hard to smell a wine during a rock concert or an opera, even if nobody was wearing perfume around you! Finally, the lack of apparent odours in a wine can be linked to a temporary or permanent physical handicap on the part of the smeller. When one has a cold, or when one is tired, sensitivity to smell is reduced and indeed sometimes disappears. And there are a small number of individuals who suffer from the sensory handicap (which can be temporary or permanent) of lack of smell, known as anosmia.

Le goût du vin
The taste of wine

Pourquoi a-t-on l'impression que certains vins rendent la langue râpeuse ?

Cette sensation tactile, que nous pouvons qualifier de « râpeuse », peut affecter aussi bien les muqueuses de la bouche que la langue. Le terme véritable est l'astringence. Elle est provoquée par la présence de substances appelées tanins, et qui se trouvent, en quantités variables, dans les peaux de raisins. Puisque la vinification d'un vin rouge implique un contact prolongé entre peaux et jus (contact qui n'existe pas pour un vin blanc), on trouve bien plus de tanins dans les vins rouges que dans les blancs. Ce sont donc certains vins rouges qui provoquent cette sensation d'astringence en bouche. Il s'agit bien d'une sensation tactile, et non pas d'un « goût ». Elle est causée par un rétrécissement des tissus sensibles de l'intérieur de la bouche face à une forme d'agression. Un autre effet secondaire est la raréfaction de la salive, qui provoque une sensation de « sécheresse » en bouche. Tous les vins rouges ne contiennent pas la même quantité de tanins. Cela dépend de la variété de raisins, et aussi des modes de vinification.

Un exemple de vin rouge tannique est un jeune vin de la région du Médoc, avec une dominante du cépage cabernet sauvignon.

Un exemple de vin rouge peu tannique est un beaujolais nouveau (cépage gamay). Il faut savoir aussi que cette sensation râpeuse est liée au niveau de maturité des raisins, comme à certaines techniques de vinification et d'élevage. C'est d'ailleurs une des réussites de la vinification moderne d'avoir su assouplir les vins très tanniques afin de les rendre moins austères dans leur jeunesse. A défaut, c'est le temps qui s'en charge, car la rudesse des tanins s'estompe avec les années.

Why do some wines seem aggressive and harsh on the palate?

This is more a tactile sensation than one derived from flavours, and it affects the inside of the mouth as well as the tongue. The technical term for this "rough" feeling is astringency, and it is caused by the presence in a wine (or other substance) of tannins which are to be found, in variable quantities, in the skins of certain fruit, including a large number of grape varieties. Since red wine-making includes a prolonged period of contact between grape skins and juice, tannins are far more plentiful in red wines than in whites. And certain types of red wines contain more tannins than others. The harsh feeling produced by contact in the mouth with tannins is due to the mucous tissues retracting as they are "aggressed". Another effect is the rarefaction of saliva, which makes the mouth feel "dry".

An example of a type of red wine which is usually quite tannic is a young bordeaux from the Médoc region, or a young cabernet sauvignon from other countries. On the other hand, a beaujolais nouveau, although even younger, will show very low levels of tannins. Tannins become less aggressive and "green" when grapes are left on the vine until fully ripe. Certain wine-making and maturing techniques will also help to "round-out" wines, calming the youthful vigour of their tannins. Modern wines have tended to use (and sometimes abuse) all of these techniques in order to make concentrated wines more palatable in their youth, given that most consumers drink their wines when these are still very young. Otherwise, for those with wine cellars, time will soften tannins very effectively.

Pourquoi certains vins sont-ils trop acides ?

On parle d'acidité dans un vin pour décrire une sensation fraîche, qui « picote » un peu la langue, qui fait saliver et qui peut, dans certains cas, sembler agressive. Un vin sans acidité ne serait ni agréable ni digeste. L'acidité est mesurable dans un vin, mais ce que l'on entend par « trop » dépend du goût de chaque individu, du moment de consommation, et de la présence d'autres ingrédients, comme le sucre, et de la sensation d'équilibre qu'ils produisent en se combinant au moment de la dégustation. Il est donc impossible d'établir une mesure objective de l'acidité perçue.

L'acidité dans un vin est généralement naturelle (bien qu'il soit autorisé d'en ajouter dans des régions ou pays chauds). Elle est constituée, dans le raisin, essentiellement par de l'acide tartrique. Certains vins sucrés peuvent contenir plus d'acidité que la plupart des vins secs, mais ils n'apparaîtront pas comme étant trop acides, car la perception de l'acidité est relativisée par la présence d'une quantité importante de sucre. D'une manière générale, le taux d'acidité d'un vin dépend de trois facteurs qui se combinent : la variété du raisin (certaines produisent plus d'acidité que d'autres), le moment de récolte (plus on vendange tard, plus l'acidité baisse), et des techniques de transformation qui peuvent (ou non) faire baisser le taux d'acidité dans un vin « fini ».

Why are some wines « sharp » or acidic?

One talks about acidity in a wine to describe a fresh and crisp feeling that makes the mouth water. In some cases this can seem too aggressive to certain people, stinging the palate. On the other hand a wine with little or no acidity may appear soft and flabby, lacking in any sensation of refreshment. Acidity can be measured in a wine, but what constitutes "too much" or "insufficient" will depend on the taste of each individual, as well as the circumstances and the presence of other ingredients such as sweetness, tannins, fruit flavours and the overall balance of a wine when it is tasted. It is therefore virtually impossible to establish a rule as to what constitutes "too much" acidity, or the contrary.

Most acidity in wines is entirely natural and mainly composed of tartaric acid which is the major acid of grapes. In hot climates, wines can receive additional acid to "balance" them, although this practice has its opponents. It should be noted that many sweet wines contain higher levels of acid than dry ones, but nobody says that they seem too acidic, because the sugar "covers" the impression of acidity. Generally speaking, acidity levels in grapes will depend on four main factors that often converge: the grape variety (some naturally contain higher levels than others), the climate in that region, the precise moment of picking (the longer one leaves grapes on the vine, the lower the acidity levels), as well as techniques used in the winemaking process that may reduce overall levels of acidity in the finished wine.

Pourquoi dit-on de certains vins qu'ils sont « minéraux » ?

Ce descriptif du goût a fait son apparition dans le vocabulaire d'un nombre croissant de professionnels du vin assez récemment. Il y a vingt ans, personne ne l'utilisait pour décrire une sensation d'acidité un peu particulière. Il est impossible de donner une définition précise à ce qui n'est, après tout, qu'une analogie et une approximation. Tenter de décrire les sensations olfactives et gustatives est très difficile et nécessite l'établissement de mots

« conventionnels » qui, pour jouer pleinement leur rôle dans la communication, doivent signifier la même chose pour la personne qui les entend et pour celui qui les prononce. Nous avons tous vécu la sensation un peu « électrisante » que peut donner en bouche le contact du métal de certaines fourchettes ou cuillères. C'est un peu cela, en version plus modérée, qui est suggéré lorsque quelqu'un prononce le mot « minéral » à propos d'un vin. L'origine de la sensation est l'acidité dans ce vin-là, et aussi son interaction avec d'autres substances qui lui donne une tenue en bouche assez ferme, mais toujours fraîche.

Why do some people describe some wines as "mineral"?

This word, which is used to describe a hard-to-define flavour, made its appearance in wine vocabulary quite recently. It is now regularly employed by a growing number of wine professionals, but it hardly existed ten or twenty years ago. It is used to describe a certain form of acidity as it is perceived in wine. It is of course an analogy and an approximation but it can be quite useful. Attempting to describe aromas and flavours in words is very hard to do and requires the formation of certain "linguistic conventions" that are understood and shared by as many people as possible in order to be intelligible. In this case, we have all experienced the slightly "electrifying" experience of placing certain metal utensils (spoon, fork, etc.) in our mouth. Without being so dramatic and unpleasant, the term "mineral" conveys a little of this when applied to a wine. Acidity alone is not enough to produce it, since there have to be other substances in the wine that make it seem "firm" as well as "fresh".

Pourquoi vaut-il mieux commencer par boire des vins légers avant des vins corsés ?

Simplement parce que si vous faites l'inverse, le goût des vins suivants sera effacé, ou en tout cas affecté, par la puissance des précédents. C'est d'ailleurs une bonne raison, contrairement à ce qu'il se pratique encore souvent dans les familles, pour déguster les vins vieux avant les vins jeunes, si ces vins ont la même origine et le même style, et surtout s'il s'agit de vin rouges tanniques. Le vin sucré devrait, pour la même raison, être servi après le vin sec, car le sucre est un goût dominant et persistant. Mais cela devient fatalement plus compliqué lors d'un repas, particulièrement si vous servez une entrée à base de foie gras en l'accompagnant d'un vin doux ou liquoreux.

Why should one drink lighter wines before more powerful ones?
Simply because if you reverse that order, the flavours of the following wines may be dominated by the stronger ones that precede them. This also implies that it is often preferable to taste older wines before younger ones (if these wines are of the same type and from the same region), simply because wine becomes more delicate as it ages. For similar reasons it is usually better to serve dry wines before sweet ones, but this may not always be possible, especially if you are serving a foie gras with a sweet wine as an entrée or aperitif.

Pourquoi ne peut-on pas boire de vin quand on mange de la salade ?

On le peut, mais cela serait dommage pour le vin si votre salade est assaisonnée par une sauce contenant du vinaigre ou du citron. Dans ce cas, l'acidité de la sauce va tout dominer, y compris le vin. Deux solutions : éviter le vin avec la salade ou éviter de mettre du vinaigre ou du jus de citron dans la sauce. On peut remplacer le vinaigre dans une sauce par du vin. Si celui-ci est bon, on peut servir le même à boire.

Why should one avoid drinking wine with salad?

One could, but it would be a pity for the wine if your salad had a dressing containing vinegar or lemon juice. In this case the strong acidity of the sauce would dominate and destroy the fine flavours of the wine. There are two ways out of this situation: avoid having any wine with salad and just drink water, or replace the vinegar or the lemon in the dressing with some wine. And, if the latter is good, one could serve the same one to drink.

Pourquoi boit-on du vin liquoreux avec du foie gras ?

L'habitude de boire des vins sucrés avec le foie gras est bien ancrée, et convient globalement assez bien, mais on peut proposer d'autres alliances. La difficulté de l'accord est la puissance de la texture du foie gras. Le vin devra être relativement puissant aussi. Un grand blanc de la Vallée du Rhône, ou un grand bourgogne, fera un partenaire intéressant, mais on peut aussi tenter un accord avec des vins rouges, à condition que ceux-ci ne soient pas trop tanniques. Par exemple, un bourgogne rouge de quelques années, ou un saint-émilion d'une dizaine d'années. Les vins dits « de voile » (xérès, vin jaune ou vin de voile de Gaillac) peuvent aussi faire de beaux accords. Pour revenir à l'habituel vin liquoreux, il est souvent préférable d'en choisir un qui contient une acidité relativement forte, comme un jurançon ou un liquoreux de Loire. Cette fraîcheur dans le vin allégera l'accord, qui risque de devenir un peu « collant » ou lourd avec certains sauternes ou monbazillacs.

Why does one drink sweet wines with foie gras?

This habit of drinking sweet wines with foie gras is fairly deeply engrained, and indeed it works quite well. But it is by no means the only solution for matching with this kind of food. The main point to be remembered is the texture of foie gras. Its very smoothness calls for a smoothly-textured wine, which can include older and less tannic reds that have been raised in new oak. Or fine and fairly rich dry whites. Oxidized whites like fino sherry can also work well. And if one returns to the "classical" match with a sweet wine, it is often best to choose one that also has a good level of acidity, such as a Jurançon, a Trockenbeerenauslese Riesling, or a sweet Loire white. This deep touch of freshness will enliven the foie gras and prevent the match from seeming cloying or heavy as it could otherwise do with a Sauternes or a Tokay.

Pourquoi boit-on du vin blanc avec du poisson et des fruits de mer ?

Voici une habitude très ancienne qui remonte au temps où il était encore mal vu, de toutes façons, de boire du vin rouge, considéré avant le XVIIIème siècle en France comme étant trop fort de goût et réservé aux travailleurs manuels. Les accords entre vins blancs et poissons ou fruits de mer fonctionnent très bien, mais une récente étude menée par des chercheurs japonais a ouvert des nouveaux horizons. Cette étude démontre qu'il est tout à fait possible de trouver de bons accords entre vins rouges et poissons ou fruits de mer, à condition que le vin en question ne contienne que très peu de fer. Comment savoir si votre vin rouge est riche en fer ou pas ? L'étude ne le dit pas, mais on peut formuler l'hypothèse qu'il existe une certaine correspondance entre fer et tanins. Autrement dit, évitez les vins rouges tanniques, et préférez des gamays, des pinots noirs ou des grenaches, par exemple.

Why does one drink white wine with fish or sea-food?

This is a very old habit that probably goes back to those times in France, before the end of the 18th century, when meat or red wine were both considered to be unfit substances for noblemen. Both, with their strong flavours and deep colours, were considered to reinforce the blood and the body to an extent that they were only suitable for manual workers. Matches between fish and white wine actually work very well, but a recent study conducted by Japanese scientists has placed a new perspective on the possibilities with red wines. They found that only red wines containing little or no iron worked well with fish dishes, all others forming an unpleasant aftertaste. How does one know whether a wine contains iron or not? The study does not tell us this (and neither do wine labels), but one can formulate the hypothesis that a tannic wine also contains iron. So the least tannic varieties, such as gamay, pinot noir or grenache are probably the best sources for matching red wines with fish.

Pourquoi le vin blanc s'accorde-t-il mieux que le vin rouge avec le fromage ?

Il a si souvent été dit le contraire que cette affirmation peut sonner comme une provocation ! Mais notre expérience nous confirme qu'il y a bien plus de bons accords entre fromages et vins blancs qu'entre fromages et vin rouges. Prenons les différents types de fromages et examinons la question en détail. Les fromages de chèvre ne s'accordent que très rarement avec les vins rouges, et uniquement lorsqu'ils sont jeunes et d'un goût neutre. Sinon, associés à un vin rouge, ils produisent en bouche un arrière goût métallique désagréable. On peut dire de même pour les fromages à pâte persillée (roquefort, bleu de bresse, stilton, etc.), sauf s'il s'agit d'un vin rouge sucré, comme un porto ou un maury/banyuls. Les fromages à pâte molle (croûte fleurie ou lavée) ont généralement un goût fort qui détruit les saveurs et la texture d'un vin rouge ; un brie ou un camembert se marient bien avec un champagne, par exemple.

Les fromages à pâte pressée non cuite peuvent éventuellement s'allier à certains vins rouges, à condition que ces fromages ne soient pas trop âgés, et de choisir un rouge pas trop tannique. Mais les fromages à pâte pressée cuite sont bien meilleurs avec un blanc qu'un rouge. Pourquoi tout cela ? Mystère des combinaisons complexes entre saveurs et textures, mais il est probable que l'acidité et la sensation de légèreté que donne la plupart des vins blancs aident beaucoup à équilibrer le gras (et parfois le sel) des fromages.

Why do white wines go better than red wines with cheese?

The contrary has been sustained for so long that such a statement may well seem provocative. Yet our experience (and taste) lead us to consider that there are better matches to be found with most cheeses amongst the range of white wines available than with reds. Let's take a few examples to make this clearer. Goat's milk cheeses rarely go well with any red wine unless the cheeses are young and fairly neutral, and the wine quite simple and acidic. If a firm or hard goat's milk cheese is matched with a tannic or full-bodied red wine, this tends to produce an unpleasantly metallic taste in the mouth. One can also rule out most matches between red wines and blue-veined cheeses, unless the wine is sweet. Thus a port or similar wine will do very well, but a bordeaux will not. White sweet wines are just as good as port in this instance. Soft and creamy cheeses are another difficult challenge for red wines, but just try a champagne or a chardonnay with them! If the cheeses are really stinky, this is even more so. In some extreme cases it may even be better to go for cider or calvados!

The only type of cheese that can go well with some red wines are firm cheeses from either ewe's milk or cow's milk (or a mixture of the two). And the cheese used should not be too old. Examples of this type of cheese are the three C's: cheddar, chester and cantal. A red wine with a bit of age (5/10 years) is often a better choice than a young wine if this is tannic. But it is not a good idea to save your best bottle of old claret for the cheese course, as the combination of different cheeses will be fatal, destroying its finesse under waves of overpowering lactic and other flavours. Our advice is to reduce the number and types of cheeses, and to select the wines first, building the cheese selection around the wine and not the reverse.

Why do whites tend to fare better? It probably has something to do with establishing a balance between the fattiness (and often the saltiness) of the cheese and the freshness (or acidity) of the wine, without letting tannins interfere.

Pourquoi ne faut-il pas servir de vin léger avec un gâteau au chocolat ?

Parce que le goût du vin sera totalement dominé par la force du gâteau, à la fois par l'amertume du chocolat et par le sucre. On peut aller plus loin que cela en disant qu'il faut du sucre dans le vin pour accompagner tout ce qui est sucré, et que plus sombre en couleur est le dessert, plus sombre doit être le vin (mais toujours sucré, bien entendu). Cela peut paraître idiot ou simpliste mais essayez ! Ainsi, un dessert au chocolat relativement pur et foncé va nécessiter un vin rouge sucré et puissant : un banyuls ou un maury vintage, un porto LBV ou vintage.

Why should one avoid serving a light-bodied wine with a chocolate cake?

Because the wine would be totally dominated by the strong flavours of the cake, both by the chocolate and by the sugar. One could go a step further and say that any dish containing a lot of sugar, such as most desserts, needs to be accompanied by a wine that contains as much sugar. Another useful guideline for matching wines to desserts is to match the dominant colours. This may seem simplistic but it actually works quite well. Thus, in the case of chocolate cake, one should look to a sweet dark red or brown wine. A Reccioto d'Amarone would do, or a fortified wine such as a Port (LBV or Vintage), a Maury or a Banyuls of the deep red-coloured vintage type, or a sweet sherry made with the PX grape.

Pourquoi chacun a-t-il souvent un avis différent sur un vin ?

Rien de plus normal, car le goût est non seulement individuel, il est aussi fortement influencé par des habitudes qui sont culturelles : nationales, régionales ou familiales. Pour rester dans des affaires de style, les uns peuvent aimer des vins rouges tanniques et austères, tandis que les autres préfèreront les vins souples et fruités. Ensuite, il y a les préférences pour un vin en particulier parmi plusieurs vins d'un même style. On le voit bien, les combinaisons sont presque infinies, donc il est totalement illusoire d'espérer que 10 personnes puissent opter pour le même vin parmi une sélection. Et tant mieux pour la diversité de l'offre. Dans l'absolu, il n'y a pas de « bon » vin, ni de « mauvais » vin. Il y a les vins préférés par chacun. Même si on peut poser des critères objectifs sur le vin, la manière de les pondérer contiendra toujours une part de subjectivité et subira des effets de mode que nous qualifierons de culturels.

Why do we have different opinions about the same wine?

This is quite normal since taste is not just an individual matter; it is also influenced by habits, which can have national, regional or family backgrounds. On the matter of wine styles, one person may prefer tannic and somewhat austere red wines, whereas another may like more supple and fruity ones. And few people want to drink the same style of wine on all occasions. Nuances between different wines of a same general type can cover a considerable range, so the number of variables is almost infinite. It is thus quite illusory to expect a group of ten individuals to choose the same wine out of a selection. So much the better for the diversity of wines on offer! In absolute terms, there is no such thing as a "good" or a "bad" wine. There are just those wines that are preferred by certain individuals. Even if one may attempt to establish preferences by posing more or less objective criteria, the way of combining these and the act of judgement

itself always involve subjectivity, which will, in turn, be influenced by fashion and other cultural factors.

Pourquoi la qualité d'un même vin varie-t-elle d'une année sur l'autre ?

Pour faire un vin il faut des raisins, et ces raisins résultent d'une récolte qui dépend, bien évidemment, de la météo. Par définition, les conditions météorologiques ne sont jamais identiques d'une année sur l'autre, pas plus que d'une région à une autre. Nombre et incidence des heures d'ensoleillement, pluie ou son absence, vents et maladies font partie des facteurs qui vont influencer la quantité et la qualité d'une récolte. Ces variations ont beaucoup d'incidences sur le raisin récolté : d'abord le volume de la récolte, mais aussi son taux de sucre, son niveau d'acidité, l'intensité de ses tannins, sans parler d'une éventuelle incidence de maladies pouvant affecter l'état sanitaire du raisin. On peut aussi parler des changements opérés d'une année sur l'autre, par volonté ou par inadvertance, dans les techniques de viticulture et de vinification. On le voit bien, les variables sont très nombreuses, et il n'est donc pas étonnant que le goût d'un même vin varie d'année en année, même si le producteur va toujours (s'il est consciencieux) s'efforcer de faire le meilleur vin possible avec la matière première à sa disposition.

Why does the quality of a given wine vary from one year to another?

To make any wine one needs grapes, and these are an agricultural produce whose character varies according to weather patterns. These, by their nature, will vary from one year to another, and from place to place. The number of sunshine hours, the temperatures, the moments when the sun shines (or does not), the incidence of wind, rain and various vine diseases all come to bear on both the quantity and the quality of a grape harvest. Grapes will swell with more rain, and shrink under very dry conditions. Sugar levels will increase under warm and sunny conditions, and acidity levels will drop as the weather gets warmer. All these, and many other variables, will affect the flavour of a wine. Then there are modifications in various techniques induced by the vinegrower and winemaker that will necessarily alter some part of the profile of the grapes. There are many factors that change between one year and another, and, altogether, these create different conditions for each vintage. Why should a wine remain constant in its flavours despite such changes, even if the producer tries to maintain the highest possible level of quality in a wine?

Pourquoi certains vins donnent-ils des maux de tête ?

Les maux de tête qui surviennent après une dégustation de vin peuvent avoir des causes multiples. Une dose excessive de n'importe quelle forme d'alcool peut provoquer des maux de tête. Cela est vrai du vin comme d'autres boissons contenant de l'alcool. Dans ce cas, tout est affaire de quantité, et la quantité acceptable dépend pour une partie de l'individu, de sa corpulence, de son état physique, etc. Ensuite, certaines personnes sont plus ou moins sensibles à certains composants qui se trouvent dans le vin. Les tanins de bon nombre de vins rouges peuvent indisposer.

Mais la cause la plus courante des maux de tête liés au vin est probablement le dioxyde de soufre. Le soufre, qui constitue environ 0.5% de la croûte terrestre, est un produit « naturel » et très utile à l'homme. Dans le vin, il est employé, généralement sous une forme liquide du dioxyde de soufre, comme antiseptique et anti-oxydant dans différentes phases de la vinification. Si un producteur est peu soigneux dans sa vinification, il est parfois amené à en utiliser des doses excessives, et cela peut provoquer, chez certaines personnes, des maux de tête. Le vin blanc étant plus sensible à l'oxydation que le vin rouge, on trouve souvent plus de soufre dans ce type de vin. Les doses maximales de soufre admises en Europe ont été progressivement réduites depuis quelques décennies. Elles sont actuellement de 160 milligrammes (par litre) dans un vin rouge, de 210 milligrammes dans un blanc sec et de 260 milligrammes dans des vins blancs doux et des rosés. Certains vins liquoreux peuvent en contenir davantage (au-delà de 300 milligrammes), car cela est nécessaire pour empêcher la poursuite de la transformation en alcool du sucre présent dans le vin. Le seuil de perception du soufre est très variable d'un individu à un autre. On tente, ici et là, de produire des vins sans addition de soufre, mais un vin totalement libre de soufre n'existe pas car la substance est naturellement présente dans le raisin.

Le problème avec les vins « sans soufre ajouté » est leur très grande sensibilité au développement des bactéries, à l'oxydation ; ils sont aussi parfois l'objet de re-fermentations intempestives ! Il est essentiel de transporter et conserver de tels vins à une température inférieure à 14°C, ce qui devient très compliqué et peu écologique sur les longues distances. Si le vin « sans soufre ajouté » n'a pas

été parfaitement conservé, ou s'il est gardé un peu trop longtemps, il risque fort de développer des odeurs désagréables.

Why do some wines give one a headache?

Suffering from a headache after drinking wine the evening before can have several causes. Firstly, too much of any form of alcoholic beverage can produce this effect, and wine contains alcohol! In this instance, it is a matter of quantity measured against an individual's capacity to absorb and degrade the alcohol in his body. And we are not all equal in this matter: it depends on body weight, physical condition, and other factors related to body chemistry. Secondly some people are particularly sensitive to certain substances contains in wine. Tannins found in many red wines can indispose some people.

But the most common cause of headaches linked to wine consumption, after the excess alcohol factor, is probably the high quantities of sulphur dioxide that can be found in some poorly made wines. Sulphur is naturally present in our world and forms 0.5% of the earth's crust. It is extremely useful to man in various fields. In wine it is generally employed, at various phases of the process, in liquid form as sulphur dioxide for its action against bacteria and oxidation, two of wine's main enemies. If a producer is sloppy in his winemaking, he may use excessive quantities of sulphur to compensate for lack of cleanliness, for example, and this can have repercussions in terms of some consumers suffering from headaches. White wine being more easily subject to oxidation than red wine, one tends to find more sulphur in this type. Sulphur quantities authorized in any foodstuffs are restricted by law in Europe, and winemakers are using much less than they did 20 years ago. Current maximum levels allowed stand at 160 milligrams (per litre) for red wines, 210 milligrams for dry white wine, and 260 milligrams for rosés and sweet white wines. Certain very sweet wines may go over this level, with up to 300 milligrams, as this may be necessary to prevent a continuing fermentation process. Perception thresholds for sulphur vary considerably from one person to another. A small number of winemakers have attempted to produce wines with no added sulphur, but a wine totally free of sulphur is virtually impossible as the substance is naturally present in grapes. The problem with "no added sulphur" wines is their exposure to any bacteria present in the wine, to oxidation in all its forms, and to possible re-fermentation due to the presence of some residual sugars and yeast that have not been neutralised or filtered properly. These pose considerable logistical and ecological problems as they must be transported and stored at temperatures below 14°C (57°F). If such conditions are not respected, most such wines age very fast and many develop unpleasant smells.

Pourquoi dit-on «mettre de l'eau dans son vin» ?

Cette vieille expression qui invite à modérer sa colère, ses convictions ou ses prétentions remonte au moins au XVIIème siècle. En 1646, Fleury de Bellingen en donnait la définition suivante : « modérer ses passions, comme la chaleur excessive du vin est tempérée par le meslange de l'eau ». Aujourd'hui, il nous paraîtrait criminel d'allonger notre verre de Château Margaux d'un trait d'eau, mais ce fût l'usage pendant près de trois millénaires. Rappelons que Dionysos, lorsqu'il livra le secret du vin aux hommes, leur enseigna aussi la bonne manière de le boire, c'est-à-dire coupé d'eau, pour éviter que le chaos s'installe ici-bas. Le vin pur était réservé aux dieux de l'Olympe (ou aux barbares !).
Au Moyen Age, les médecins recommandaient de boire la plupart des vins coupés d'un peu d'eau, pour des questions de sobriété et de digestion, mais dans bien des cas, c'était plutôt l'eau que l'on coupait d'un peu de vin pour la nettoyer et la purifier, même pour les enfants. L'usage a perduré jusqu'au XIXème siècle ; Napoléon, dit-on, coupait son chambertin d'un trait d'eau. Même de nos jours, on remarque que la génération de nos grands-parents n'a pas totalement perdu cette vieille habitude.

Why do people use the expression «putting water in one's wine»?

This is an old expression, which signifies moderating one's anger, conviction or pretensions, and which dates back at least to the 17th century. A French philosopher defined it as "moderating one's passions, as the excessive heat of wine is tempered by mixing it with water". Today it would seem silly or offensive to dilute one's glass of

Château Margaux by adding water to it, but it was standard practice for about 3000 years to water down pure wine. In legend, Dionysos, when he delivered the secret of wine to mankind, also gave clear instructions as to how to drink it, and this involved diluting it with water. Otherwise, presumably, chaos would have reigned in the Greek world, as it did with barbarians. Only gods were allowed to drink pure wine. Barbarians did so anyway! During the Middle Ages, and even later, this tradition was maintained to some extent as we can see from various medical recommendations that considered it better, both for sobriety and digestive reasons, to dilute most wines. Napoleon drank his chambertin with water. As late as the early 20th century in some parts of Europe, doctors would recommend putting a little wine into water, even for children, to help make water drinkable. And, in country regions of Europe, this habit can still survive. Maybe it will return to fashion with the growing alcoholic levels of wines?

Pourquoi est-il recommandé de boire un verre de vin par jour ?

Les effets protecteurs de l'alcool et du vin contre certaines maladies ont fait l'objet d'études dans de nombreux pays. Dans l'ensemble, ces études concordent pour montrer que, pour une consommation modérée de 1 à 4 verres de vin par jour (selon le sexe et le poids de la personne), la mortalité coronarienne est inférieure de 15% à 60% par rapport aux non-buveurs. Par exemple, les études du Professeur Renaud, comme celle sur le régime crétois ou celle sur les mortalités de diverses populations d'Europe, ont démontré qu'une consommation modérée mais régulière de vin, à la hauteur d'une demi-bouteille par jour, résultait en une mortalité (toutes causes confondues) inférieure ou égale à celle des non buveurs. Celle de l'American Cancer Society, portant sur plus de 276 000 sujets suivis pendant 12 ans, indique aussi une baisse du taux de mortalité par cancers pour une consommation de 1 à 3 verres par jour, et une baisse encore plus importante pour les maladies coronariennes. D'autres études semblent indiquer que le vin rouge, en particulier, peut contenir une molécule (resvératrol) active dans la prévention de la formation de plaquettes dans le sang, qui sont responsables de bon nombre de problèmes coronariens. Etablir une dose précise à conseiller est très difficile, car cela dépend de bien d'autres facteurs comme le sexe (il est conseillé aux femmes de boire moins que les hommes), le poids, le régime alimentaire, le style de vie et la présence éventuelle de facteurs à risque (comme le tabagisme). En 2009, L'OMS (l'Organisation Mondiale de la Santé) recommande de s'en tenir, par jour, à un verre de vin pour les femmes, et deux pour les hommes...

Why is it sometimes recommended to drink a glass of wine a day for one's health?

The possible preventive effects of wine against certain diseases have been studied in several countries. In general, such studies seem to concur in showing that, with a moderate consumption of between 1 and 4 glasses of wine per day (these recommended "moderate" quantities vary according to sex and weight), the risk of death by heart diseases is reduced by between 15% and 60% when measured against non-drinkers.

One of the best-known studies, conducted by Professor Renaud on the mortality of various populations in Europe, showed that regular and moderate consumption of wine (mainly red, and in quantities of around 37,5 centilitres per day, which equals about 3 glasses), associated with meals, was a probable factor in the increased life expectancy of that particular group. In other words, those wine consumers were less likely than non-consumers to die a premature death. In another study, The American Cancer Society followed 276,000 subjects over a 12 year period and the results indicated a drop in the death rate

from cancers amongst those who consumed between 1 and 3 glasses of wine per day. In the same study, the reduction in death rate from heart diseases was even more significant. Other studies have shown that red wine, in particular, contains a substance called resveratrol that plays an active role in preventing the forming of platelets in the blood, which are responsible for many heart problems.

Establishing precise prescriptions as to recommended quantities of wine is difficult, as this will depend on many factors such as sex (women should drink less than men), weight, food regime, life style and other risk factors such as tobacco consumption. In 2009, the WHO (World Health Organisation) recommended one glass of wine per day for women and two for men...

Pourquoi certains pensent qu'il faut mettre une cuillère dans le goulot d'une bouteille de champagne pour l'empêcher de perdre ses bulles ?

Les mythes sont souvent plus tenaces que la réalité ! Mettre une cuillère, qu'elle soit faite d'argent ou d'un autre matériau, dans le goulot d'une bouteille de vin effervescent (champagne ou autre) ne suffit évidemment pas à empêcher le gaz carbonique de s'en échapper, ni l'air d'y entrer. Le seul moyen d'assurer une fermeture réellement hermétique est d'utiliser un bouchon provisoire qui s'attache fermement au goulot de ce type de flacon, et qui est capable de résister à la pression engendrée par le dégagement du gaz. Le principe actif dans le mythe de la cuillère dans le goulot est le froid, car on préconise aussi de mettre la bouteille en question dans la porte du réfrigérateur. Le froid agit, en effet, comme un ralentisseur du dégagement du CO_2. Mais faites la comparaison entre l'effet d'une cuillère insérée dans le goulot et rien du tout, et vous comprendrez qu'il n'y a aucune différence !

Why do some say that putting a silver spoon in the neck of an open bottle of sparkling wine will maintain the bubbles in that bottle?

Myths can be incredibly tenacious! Placing a spoon, be it made of silver or of any other material, in the neck of an open bottle of sparkling wine will obviously do little or nothing to prevent air from entering and gas from escaping. The only way to slow down this process is to hermetically close the bottle, using a special cap that locks around the neck of the bottle and is able to resist the pressure inside, engendered by the carbon dioxide gas coming out of suspension in contact with air. Possibly the active ingredient in the silver spoon myth is that the bottle was also placed in the refrigerator door, in which case the cold will help slow down gas expansion, thereby keeping some bubbles in the wine. But try placing two opened and partially emptied bottles of the same sparkling wine in a fridge door, one with a silver spoon in it and the other with nothing, and you will find no difference the next day.

Dans la vigne
In the vineyards

Pourquoi y a-t-il des rosiers au début des rangs de certaines vignes ?

En se promenant dans des régions viticoles, on remarque souvent des rosiers plantés en tête des parcelles, devant les rangs de vignes. C'est souvent très agréable au regard mais le rosier à une fonction bien précise : prévenir le viticulteur de l'apparition de l'oïdium, une maladie causée par un champignon à peu près aussi destructeur que le mildiou. Le rosier étant plus sensible que la vigne à l'oïdium, il sera sa première victime, prévenant le viticulteur d'une attaque imminente sur ses vignes. Jadis, on donnait une autre explication, plus folklorique : le rosier planté en bout de rang servait de signal au cheval qui, en le voyant et par réflexe, se retournait pour s'engager dans le rang suivant.

Why are there rose bushes at the end of some vines?

In some regions, such as Bordeaux, one often sees rose bushes at the end of rows of vines. This is certainly decorative, but it is essentially functional. Roses catch powdery mildew (one of the major fungal vine diseases) faster than do vines. Hence the grower can see when an attack of this fungus is about to strike and thus treat his vines before it sets in. There is another explanation sometimes given, which dates back to times when ploughs and other instruments were pulled through the vines by horses. The rose gave a signal to the horse that it was time to turn, and, by their thorns, prevented him from turning too close to the last vine and damaging it with the plough.

Pourquoi faut-il traiter les vignes contre les maladies ?

La vigne, comme l'être humain, « attrape » une série de maladies. Les sortes de maladies qui atteignent la vigne sont bactériennes, fongiques, virales, et phytoplasmiques. Comme les être humains, les variétés de vignes ne sont pas égales devant la maladie. Certaines variétés et sujets sont très sensibles, d'autres beaucoup plus résistants. Cela a souvent constitué un critère de sélection de cépages dans telle ou telle région, car le climat et d'autres facteurs environnementaux jouent un rôle important dans cette affaire. Dans certains cas, si on ne traite pas sa vigne, elle meurt. Dans d'autres, la qualité et/ou la quantité de la récolte de raisins se trouvent affectées. Il faut donc traiter la vigne. Mais avec quels moyens ? L'industrie chimique a apporté bon nombre de solutions, même si aucune des maladies graves de la vigne n'a été enrayée définitivement. Il faut, par exemple, greffer les vignes sur des souches résistantes pour éviter le phylloxera, et traiter contre le mildiou ou l'oïdium. Les viticulteurs qui optent pour l'agriculture biologique refusent l'emploi des produits dits « de synthèse ». Mais ils ont recours au cuivre (un métal lourd) et au soufre, car rien d'autre ne « fonctionne » dans certains cas. Certains répandent aussi des tisanes de plantes, qui ont, paraît-il, un effet positif en stimulant la résistance naturelle de la vigne.

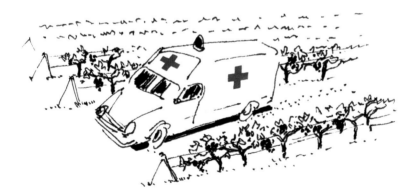

Why does one need to treat vines against diseases?
Vines, like other plants (and human beings), can suffer from a range of diseases. The kind of diseases that affect vines can have bacterial, fungal, viral or phytoplasmic origins. And as with human beings,

different vines are not equal before the various diseases, some being more vulnerable than others. This is one of the reasons for choosing a particular variety of vine for a particular site, since climate and other environmental factors play an important part. In some cases, either the quality or the quantity (and sometimes both) of the crop will be affected by an attack of one or several diseases. Preventive or curative treatments are therefore required. The question is: what technique(s) to use? The chemical industry has produced numerous solutions, even if very few of the most serious diseases that affect the vine have been eradicated. Diseases such as mildew, both grey and powdery, are simply held at bay. And there are several other cases. Vine-growers who opt for an organic approach have a more limited range of products at their disposal, since they eschew systemic chemicals. They can however use both sulphur and copper, despite the fact that the latter is a heavy metal that leaves residues in the soil. But there are no other effective solutions for some fungal diseases. Some use plant-based sprays that may have positive effects by improving the vine's natural resistance.

Pourquoi le phylloxera fait-il tant de dégâts ?

Il faut commencer par comprendre ce qu'est le phylloxera. Le problème vient d'un puceron, natif d'Amérique du Nord et dont le nom latin est dactylasphaera vitifoliae. Arrivé en Europe vers 1860, probablement dans des caisses en bois ou sur des plantes, il s'est attaqué aux racines des vignes. La vigne européenne est de l'espèce vitis vinifera qui n'offre aucune résistance à ce puceron, à la différence des espèces nord-américaines. Les premiers effets (la vigne attaquée meurt) furent remarqués dans le midi de la France en 1863 et le coupable était initialement nommé phylloxera vastatrix. En une vingtaine d'années, le phylloxera a détruit la quasi-totalité du vignoble européen. Pour la seule France, environ 2,5 millions d'hectares de vignes ont été détruits, dont beaucoup n'ont jamais été replantés depuis. Cette peste a été si redoutable que, malgré des efforts considérables (et des remèdes plus ou moins fantaisistes), aucune protection efficace contre le puceron n'a été trouvée, hormis l'inondation de la vigne en question ou le greffage des variétés de vitis vinifera sur des porte-greffes issus d'espèces nord-américaines. L'inondation, bien qu'efficace (car ce puceron ne survit pas dans l'eau) n'est guère compatible avec une viticulture de qualité. Le greffage a donc été adopté partout. De nos jours, presque toutes les vignes du monde sont donc greffées, hormis quelques cas isolés, comme le Chili, qui n'ont pas encore été atteints par ce puceron.

Why does phylloxera have such a drastic effect?

First we should understand what we mean by phylloxera, which is the name given to a pest, not a disease. The pest is a root-feeding aphid, native to North America, whose Latin name is dactylasphaera vitifoliae. It was brought to Europe in the late 19th century by accident, probably in plant material. Native American vines species are naturally resistant to this aphid, but not the European vitis vinifera whose roots are eaten by it, causing the plant to die. The first cases were noticed in Southern France in 1863, and the culprit was initially named phylloxera vastatrix. Over a twenty year period, phylloxera destroyed virtually all of Europe's vines. In France alone, some 2.5 million hectares of vineyard were killed, and many have not been replanted since. This pest is so redoubtable that, despite considerable efforts (including numerous fanciful remedies), no real cure has ever been found. It can be effective to flood the land, since the aphid cannot survive under water, but this can only work on flat ground and is not conducive to quality wine-production. The best counter to the pest found was to graft vitis vinifera varieties onto resistant American rootstock, and this is now adopted almost everywhere. There are only a few isolated parts of the world, such as Chile, which have not yet been attacked by phylloxera.

Pourquoi le mildiou peut-il être fatal à la récolte ?

Moins « célèbre » que le phylloxéra, le mildiou est pourtant, dans beaucoup de régions viticoles, le pire ennemi du vigneron. Il s'agit d'un champignon, le plasmopara viticola, originaire de l'Est des Etats-Unis, qui a été introduit en Europe dans les années 1870, probablement par l'intermédiaire des porte-greffes résistants au phylloxéra que l'on faisait venir des Etats-Unis. Ce petit champignon, qui a conquis le monde entier, affectionne particulièrement les climats chauds et humides : ses spores qui germent au printemps prospèrent ensuite au rythme des averses et de l'humidité ambiante.

Le champignon s'attaque d'abord aux feuilles qui se couvrent de petites taches rondes puis cotonneuses, aux rameaux qui se tordent et aux baies en développement qui brunissent. De manière générale, le mildiou provoque un déséquilibre de la plante et rend difficile la photosynthèse. Les violentes attaques de mildiou peuvent déboucher sur des pertes de récoltes importantes ou sur une récolte de raisins malsains. Il existe deux moyens de lutte : le premier est la pulvérisation de préparations à base de cuivre comme la bouillie bordelaise (qui est un mélange de sulfate de cuivre et de chaux mis au point en 1885), le second est l'utilisation de fongicides capables de lutter ou de prévenir la maladie. Comme le phylloxéra, le mildiou est une maladie endémique : le champignon passe l'hiver dans les feuilles qui sont tombées, infectant les sols et attendant le moment propice pour se développer à nouveau. On traite le mildiou, mais on n'en vient pas à bout.

Why is downy mildew so dangerous for grape crops?

Although less radical and less well known than phylloxera, downy mildew is, in many wine regions, the grower's worst enemy. It is caused by a fungus, plasmopara viticola, which originated in the Eastern part of the United States. It was introduced to Europe in the 1870's, probably carried by rootstock imported to deal with phylloxera. This fungus, which can also be found all around the world, particularly appreciates warm and humid weather. Its spores, which germinate in the spring, will prosper if the weather is damp, covering the vine leaves with small round marks that look like cotton, then the shoots become twisted, and finally the young fruit goes brown. The plant gradually looses its capacity for photosynthesis. Severe attacks of powdery mildew can both considerably reduce a crop and damage the quality of that crop. There are two recognized means of fighting this disease: by spraying with what is known as "Bordeaux mixture" (a mixture of copper sulphate and lime that was discovered in Bordeaux in the 19th century), or by spraying with fungicides that can restrict or prevent growth of the fungus. Like phylloxera, downy mildew does not just go away: the fungus survives in leaves that fall in the autumn, infecting the soil where it waits for a suitable period to start work again on next year's leaves. The disease can be treated but not cured.

Pourquoi taille-t-on la vigne ?

La vigne est une liane grimpante à croissance rapide qui, si on ne la taillait pas, pousserait sur des dizaines de mètres, en s'épuisant et en se fragilisant. Le résultat serait une abondance de rameaux, de feuilles et, surtout, de grappes constituées de baies chétives et peu mûres, 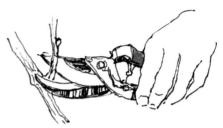 incapables de donner des vins de qualité. La taille sert donc à limiter le rendement d'une vigne, en faisant en sorte que les raisins soient moins nombreux, mais plus gros et plus concentrés. Cette pratique est ancestrale : l'Ancien Testament y fait clairement allusion et il est avéré que les Egyptiens de l'Antiquité taillaient leurs vignes. C'est en hiver que l'on procède à la « taille », c'est-à-dire en période de dormance de la plante : à l'aide d'un sécateur, on supprime la plupart des sarments de l'année précédente. C'est un travail long et pénible, mais absolument indispensable. En fonction des régions et des cépages, on peut tailler long ou court et laisser un ou plusieurs sarments (ou rameaux). La taille a une autre fonction, celle d'optimiser l'entretien de la vigne, par exemple en maintenant les ceps en rangs réguliers pour faciliter le palissage (conduite de la vigne sur des fils de fer tendus) ou le passage d'un tracteur entre les rangs. Outre la taille d'hiver, on procède à d'autres tailles à partir du printemps : on coupe les rameaux non productifs ou indésirables, on écime et on effeuille, autrement dit on supprime les parties « inutiles » de la plante qui pourraient concurrencer la maturation des baies ou leur exposition au soleil. Il existe aussi des « tailles en vert » (ou « vendanges en vert ») qui consistent à supprimer une partie des raisins pour favoriser la maturation des fruits restant sur la plante.

Why do vines have to be pruned?

The vine is a creeping and climbing plant that, if its growth was not curtailed by pruning, would grow for dozens of metres, gradually exhausting itself. The result would be a jungle of shoots and stems, some of which would bear meagre bunches of unripe grapes that could not produce decent wine. Pruning limits the development of the vine, reducing the amount of shoots, leaves and bunches, and concentrating the plant's energy on the remainder. It also shapes the plant to suit local conditions and wine types. The practice is ancient, since the Old Testament of the Bible mentions it and we know that Ancient Egyptians pruned their vines. Pruning is generally carried out in winter, when the vine is dormant. With a secateur or a knife, one cuts off most of last year's shoots. This is a slow and laborious process that must be carried out carefully. Pruning techniques vary according to the region and the grape variety. One may cut back with severity or leave some shoots quite long, depending on the situation. Pruning also helps keep the plant in shape, spreading out its foliage pattern to improve photosynthesis and permit air to circulate. It prepares the vine for any trellising system used. Shoots that are surplus to requirements are removed, thus economising energy which is directed to the bunches of grapes. "Green" pruning or "green" harvesting is an additional technique which consists in the removal of some of the grape bunches in order to improve the quality of the remaining fruit.

Pourquoi y a-t-il de l'herbe dans certaines vignes ?

Les paysages de vignobles enherbés ne sont plus une rareté. Pendant longtemps, on a considéré que l'herbe faisait une mauvaise concurrence à la vigne et on s'en débarrassait, au besoin à l'aide de désherbants chimiques. Aujourd'hui, la pratique de laisser des tapis d'herbes entre les rangs a de plus en plus d'adeptes.

Elle est d'abord une réaction à des utilisations massives et répétées de produits chimiques (engrais, herbicides, pesticides, etc.) qui ont fini par épuiser, stériliser et tasser les sols.

L'enherbement présente aussi beaucoup d'avantages : il favorise l'infiltration des eaux de pluie et évite leur ruissellement en surface, ruissellement qui érode souvent les sols.

On lui doit aussi une meilleure portance de la terre, ce qui permet, par exemple, le passage des tracteurs y compris après des pluies abondantes. Mais l'herbe agit aussi sur le développement de la vie microbiologique, retenant la matière organique et favorisant le développement d'une faune et d'une flore, sources de matière organique pour la vigne et d'aération pour les sols. On lui attribue aussi la capacité de dégrader certains résidus de traitement comme le cuivre.

L'herbe agit enfin comme un concurrent. En captant une partie de l'eau, elle crée un déficit hydrique qui oblige la vigne à développer plus profondément ses racines. Cette mise en concurrence a aussi le grand mérite de réduire la vigueur de la vigne et d'abaisser ses rendements avec, à la clé, des raisins moins nombreux mais plus concentrés. En période sèche, il faut néanmoins veiller à ce que l'herbe ne capte pas trop d'eau et d'azote au détriment des vignes. De même, au printemps, un sol enherbé est plus sujet aux gelées qu'un sol nu. C'est pour ces raisons qu'on tond l'herbe ou qu'on laboure la terre à certaines périodes.

Why can one find grass between some rows of vines?

This is becoming increasingly common in some areas. For a long time grass was considered purely as a competitor to the vines for water and other resources in the soil. It was either ploughed under or destroyed by weed-killers. Today the practise of seeding grass and other plants between rows of vines is gaining ground, and for several reasons. One of these is a reaction to previous over-use of chemicals such as weed-killers and fertilisers that, over time, sterilise the soil, whilst frequent passage of tractors compact it. Sowing grass has other advantages, such as favouring rain penetration of the soil and avoiding erosion, or allowing vehicles to work the vineyards even after rainfall. Grass also improves soils structure by harbouring micro-organisms and retaining organic matter; it provides shelter to flowers and potentially beneficial insects, the latter often being predators to vine pests. And its roots help break down residual qualities of certain chemicals used on the vines, such as copper sulphate. Surface competition for water resources with vine roots will also oblige these to dig deeper and so help the plant root better and have a chance of finding water further below soil in dry periods. It may however be necessary to reduce grass coverage during periods of drought. And, in the spring, grass coverage can make vines more prone to frost damage by retaining moisture. Thus grass is cut or ploughed in at certain periods.

Pourquoi les racines de certaines vignes plongent-elles en profondeur dans la terre ?

C'est par ses racines (et ses radicelles) que la vigne, comme toute autre plante, se nourrit en eau et en matières organiques. Plantée dans une terre grasse et humide, une vigne n'a pas besoin de développer en profondeur son système racinaire, puisque tout ce dont elle a besoin se trouve en surface. Seulement, les sols aptes à produire de bons vins sont souvent pauvres et bien drainés. L'eau ne stagnant pas en surface en saison sèche, la vigne va devoir déployer ses racines pour aller la puiser plus en profondeur, ou bien traverser en latérale si le sous-sol est impénétrable. Dans ces circonstances, plus une vigne sera âgée, plus longues seront ses racines. Certaines pratiques viticoles peuvent inciter les vignes à développer un système racinaire long, en particulier la plantation d'un grand nombre de pieds de vignes à l'hectare (forte densité de plantation), ce qui est le cas dans beaucoup de vignobles bordelais par exemple. Plus les vignes entrent en concurrence entre elles sur une petite surface, plus chacune devra redoubler d'efforts pour aller chercher sa nourriture en profondeur. Un enherbement entre les vignes agit de la même façon : en entrant en concurrence avec la vigne dans les parties superficielles des sols, l'herbe l'oblige à se développer en profondeur. Dans ces conditions, les racines de la vigne peuvent pousser et « descendre » dans le sol de 1 mètre par an…

Why do vine roots sometimes go very far into the depths of the ground?

Like any plant, a vine obtains water and other forms of nutrition from the soil via its root system. If planted in rich, moist soil, the roots would not have to go far to find water and the vine would not have much mechanical purchase on the soil. Nor would it be able to resist extreme changes like periods of drought. Most soils used to produce fine wines are in fact poor and well drained. Since there is little or no water near the surface, the vine roots dig deeper to find what they need to fulfil their vital function. If they meet a block of solid rock, they spread laterally, but otherwise they will continue to go downwards through fissures in softer rock or into deeper soil. This process takes time, so the older the vine, the deeper the roots will be, provided that the plant has not been watered or fed on the surface. Planting vines close together will generate competition between then and help induce the roots to go deeper. Growing plants or grass on the surface will also encourage roots to go below to avoid competition near the surface.

Pourquoi n'y a-t-il pas de vigne au Pôle Nord, ni au Cameroun ?

Au Pôle Nord, rien ou presque ne pousse, et pas plus la vigne que n'importe quelle autre plante fructifère. La vigne supporte certes des températures négatives, parfois extrêmes comme au Québec (où il est parfois nécessaire d'enterrer la vigne en hiver pour la protéger du gel) mais des températures très rigoureuses trop prolongées tuent le cep, comme lors de l'hiver 1956, qui détruisit une bonne partie du vignoble français. Outre le froid, l'insuffisance des rayonnements solaires empêcherait, de toute façon, les raisins de mûrir.

En revanche, rien n'empêche, à priori, de faire pousser du raisin sous des latitudes tropicales comme celles du Cameroun. Au contraire, l'eau et le soleil y étant abondants, la vigne prospérerait avec une vigueur prodigieuse. C'est bien là que réside le problème. Un environnement humide et chaud, à longueur d'année dans le cas des pays tropicaux, provoquerait une croissance incontrôlable des bois et du feuillage de la vigne, qui tiendrait, du coup, plus de la plante tropicale que du cep traditionnel, à moins d'un travail harassant et constant sur chaque cep. Trop nourri, le raisin serait gonflé et gorgé d'eau, donnant des vins dilués et sans intérêt. De plus, l'humidité ambiante serait propice au développement presque insoluble des maladies et de la pourriture grise. Enfin, sans hiver, et sans cette période de dormance hivernale, la plante s'épuiserait rapidement. Néanmoins, il existe peut-être au

Cameroun des zones à explorer bénéficiant de sites (meso-climats) adaptés aux exigences de la vigne à vin ! Dans le nord de la Thaïlande, pourtant située en zone subtropicale, prospèrent des petits vignobles donnant deux récoltes par an.

Why are there no vines at the North Pole, nor in tropical Africa?

Nothing much grows on the Poles, either North or South, so vines have little chance as they cannot survive temperatures lower than -10°C for long. One can find vines in some fairly cold climates, such as Quebec, but here it is necessary to bury the plants in winter for them to survive. The severe winter of 1956 in France killed large numbers of vines, for example. Another problem would be lack of sunshine hours.

On the other hand vines grow well in the tropics. There is abundant sun, plentiful water and no frost. The problem is that they grow too well, producing two crops per year as there is no dormant period for vegetation. This tends to exhaust the plant quite fast, encouraging over-abundant leaf growth and producing grapes which are rarely very concentrated. Another problem is that high levels of humidity cause their own share of problems with fungal diseases. All this means that it would be very uneconomical to produce good wine in such a climate, with the amount of labour required, not to mention the number of sprayings. But there are a few examples of vineyards in tropical regions, such as in Kenya, where altitude creates a different and much drier climate, or in northern Thailand.

Pourquoi la fête des vignerons se déroule-t-elle en France le jour de la Saint-Vincent, le 22 janvier ?

Parce que Saint-Vincent est le saint patron des vignerons ! Mais pourquoi lui et pas un autre ? On est condamné aux hypothèses car la question n'a pas de réponse historiquement certaine. On sait que Saint-Vincent est un saint du IIIème siècle, mort en 304, qui vécut dans le royaume d'Aragon et dont le martyr a été particulièrement pénible (il aurait été lacéré, écartelé, brûlé…). D'ailleurs, certains ont fait un parallèle entre le sang du saint ainsi versé et le vin, incarnation du sang du Christ dans l'eucharistie.

D'autres rapportent un épisode de sa vie au cours duquel il aurait miraculeusement démasqué un escroc : l'eau frauduleusement ajoutée se serait spontanément séparée du vin une fois le liquide renversé sur sa tunique.

On peut aussi évoquer la version qui veut qu'en tant que diacre, il ait été chargé de verser le vin de messe dans le calice, ou encore celle qui veut qu'il ait été supplicié sur un pressoir.

Une explication plus historique établit qu'il aurait d'abord été le saint patron des vignerons de la région parisienne qui travaillaient sous la dépendance de l'abbaye de Saint-Vincent, future Saint-Germain-des-Prés.

Enfin, on fait souvent l'analogie phonétique entre « vin » et « Vincent ». Quelle que soit la bonne version, la Saint-Vincent fait toujours l'objet de fêtes vigneronnes, dont la plus connue est la Saint-Vincent tournante en Bourgogne, une fête populaire qui a lieu chaque année dans une commune différente de la région.

Why does the vigneron's special saint's day fall on January 22nd in France?

Because this is the day of Saint Vincent, who is a patron saint of vignerons (vinegrowers). And why is Saint Vincent their patron saint? Nobody knows for sure, but we can put forward a few hypotheses. Saint Vincent lived in the 3rd century, dying in 304 in Aragon (Spain). His martyrdom was particularly grisly as the story goes that he was lacerated before being quartered and burnt. Some have introduced a parallel between the blood of this martyr and the blood of Christ, symbolised by red wine in holly communion. Another version talks of an episode in his life which saw him miraculously unmasking a wine fraud thanks to water which had been added to wine separating out from it when spilt on his tunic. Yet another recounts that when he was a priest, one of his functions was to pour the wine for mass into the chalice. Still others claim that his martyrdom included his being tortured in a wine press!

It is a historical fact that he was, first of all, the patron saint of the vinegrowers in the Paris region who depended upon the Abbey known at that time as Saint Vincent, and which was later to become the Abbey of Saint-Germain-des-Prés. Finally, one should also note that there is a phonetic proximity between "Vin" (meaning wine in French) and Vincent. Whatever the truth of the matter (and there may be none), Saint Vincent still lends his name to numerous vinegrowers' festivities, of which the most famous is probably the "Saint Vincent tournante" which takes place in a different wine-growing village of Burgundy every year.

Pourquoi le métier de vigneron est-il souvent un travail à plein temps ?

Le mot vigneron désigne, à l'origine, une personne s'occupant de la vigne. Par extension elle désigne souvent, mais pas systématiquement, celui qui s'occupe de la vigne et qui produit le vin. Pris dans ce sens là, l'activité d'un vigneron ne connaît que très peu de temps morts pendant l'année, car le travail dans la vigne, très dense à partir du printemps et jusqu'aux vendanges, se double des tâches à effectuer dans le chai, tâches qui comprennent la vinification, après les vendanges, mais également l'élevage du vin, qui requiert des soins constants et réguliers tout au long de l'année. Il faut ajouter, pour les producteurs indépendants, le volet commercial, évidemment indispensable ; car il ne suffit pas de produire le vin, il faut aussi le vendre. Mener correctement de front les trois aspects du travail de vigneron est une mission quasi-impossible pour un individu seul. Le temps libre réel du vigneron se mesure donc aux moyens dont il dispose et au nombre de salariés qui l'aident dans ces tâches.

Pris au sens de viticulteur, c'est-à-dire dont la seule activité est de produire des raisins, le métier de vigneron laisse plus de temps libre, et il n'est pas rare de voir des viticulteurs mener de front d'autres activités, agricoles, artisanales ou autres. Cela peut être le cas des coopérateurs ou des viticulteurs qui vendent leurs raisins à des maisons de négoce.

Why is the trade of vigneron a full-time occupation?

The French term vigneron (meaning vine-grower, or vine worker) initially designated a farm labourer who works in the vineyard. By gradual extension, it also came to mean anyone who tended vines and produced wine. Taken in the latter sense, a vigneron has few periods without activity during the course of a year: work in the vineyards can be intensive at different periods, like harvest, pruning (in winter), planting in early spring, treating and tying up the growing vine in the spring and the early summer. In the winery or cellar the peak periods are during harvest and right after, covering fermentation. Then there is all the work with moving wine around, airing it, taking it in and out of barrels, blending and bottling. And many vignerons also have to sell their wine, look after customers and other visitors, look after their business affairs and repair equipment. Dealing with all aspects is virtually impossible, so many work with family or salaried helpers. Free time and holidays can be rare for a small producer, unless the scale of his estate justifies hiring competent staff to second him. If, on the other hand, we revert to the initial sense of the term, a vigneron/vine-grower may well need other activities to keep him busy throughout the year, particularly in winter. He may, for example, have other agricultural activities, or be a part-time craftsman. This is often the case with small growers who sell their grapes to cooperative wineries of négociants.

Pourquoi vendange-t-on encore à la main alors qu'il existe des machines à vendanger ?

Avec le perfectionnement et la diffusion des machines à vendanger, la pratique traditionnelle de récolter les grappes à la main a régressé et ne représente guère plus de 30% de la récolte (en France). Si les raisons principales du succès de la machine sont la pénurie et le coût de la main-d'œuvre saisonnière fiable, elle a aussi des avantages pratiques : en cas de menace de pluie, la machine travaille bien plus vite que l'homme et, si nécessaire, 24 heures sur 24, avec à la clé, une récolte sauvée. Ces machines ont parfois mauvaise presse, mais il ne faut pas raisonner de manière trop simpliste : les machines modernes, correctement utilisées et sur une vigne bien préparée, donnent de bons résultats, surtout lorsqu'elles sont associées à des tables de tri sophistiquées qui permettent d'éliminer, à l'arrivée dans le chai, les parties vertes et les raisins dont la qualité laisse à désirer. Néanmoins les vendanges manuelles ont encore leurs partisans. D'abord certaines appellations interdisent l'emploi de la machine à vendanger, pour des raisons techniques. C'est le cas en Champagne, où les techniques de pressurage nécessitent l'arrivée au chai de grappes entières de raisins, ce que ne sait pas faire une machine à vendanger.
Certaines situations topographiques ou d'organisation du vignoble

(terrain accidenté ou vigne plantée en terrasses, sol boueux et en pente) empêchent aussi le recours à la machine. La production de vins liquoreux issus de vendanges tardives exige aussi de cueillir manuellement, et par des passages successifs dans les vignes, uniquement les raisins « pourris » (attaqués par le champignon botrytis cinerea). Enfin, pour des raisons de choix techniques, on peut préférer vendanger à la main plutôt qu'à la machine, même lorsque la législation de l'impose pas. C'est très souvent le cas pour des vins blancs, quand on veut apporter des grappes entières au pressoir. Signalons enfin que la plupart des vins les plus chers sont issus de vendanges manuelles, autant pour des raisons techniques que pour des questions d'image.

Why do people still harvest by hand when there are machines to do the job?

Mechanical grape-harvesting machines have been constantly improved since their first appearance in the 1960's, and they can now satisfactorily replace manual picking in most situations, with economic and sometimes technical advantages. In France for instance, manual harvesting now concerns just 30% of total grape picking, and generally for the most expensive wines where fine tuning of costs is not a major issue. The main reasons for the introduction and extension of mechanical harvesting has been the dearth and cost of labour in countries like Australia, New Zealand, and then in Europe. But there are also technical advantages, since, if the weather is about to change for the worst, it is far easier so save the harvest with a machine that can work all round the clock, replacing at least 20 pickers who need to sleep and eat. The romantic image of grape pickers having a good time in the vineyards is to be confronted with reality. Pickers need to have training, discipline and endurance to do a good job where quality counts, whereas a machine of the latest type just needs one good driver and can then empty its contents onto a sorting table to remove anything unripe or extraneous.

Yet hand-harvesting still has its supporters. First of all there are the appellations where, for technical reasons, machines do not have their place. This is the case in Champagne where whole bunches must be brought to the press. Nobody has yet invented a machine that cuts off a whole bunch. Then vines must be trellised for a machine to straddle them and pick the grapes efficiently. So any vineyard with bush vines (untrellised vines) must be picked by hand. Then certain vineyard sites make it virtually impossible to use machines: steep slopes, muddy terrain and terraces for instance. Making sweet wines from late harvested grapes is not a valid option for machines either, especially when the bunches have to be selected according to their being affected, or not, by noble rot. Finally a producer may choose, for specific technical or "image" reasons, to prefer hand harvesting. This can often be the case for top level white wines as any damage to the skins can harm the ultimate quality of the grapes and whole bunches are preferable in this case. Image (of the "hand-crafted" variety) may also play a part in the choice to hand-pick grapes for the most expensive wines.

Pourquoi les vendanges sont-elles obligatoirement manuelles en Champagne ?

La législation oblige les Champenois à procéder à des vendanges manuelles afin de récolter des grappes entières (ce que ne peuvent pas correctement faire aujourd'hui les machines à vendanger). Ces grappes sont ensuite amenées intactes jusqu'au pressoir. Cette obligation est rendue indispensable par la nature des vins produits en Champagne : des vins blancs (essentiellement) provenant de cépages rouges (au deux tiers) et blancs. Si les raisins libéraient leur pulpe avant le pressurage, le jus risquerait non seulement de s'oxyder mais aussi et surtout de se teinter au contact des peaux. L'autre explication tient à l'importance du pressurage en Champagne : un pressurage doux, fractionné, au cours duquel on libère des jus de différentes qualités et dont on ne retient que les meilleurs. Ainsi les premières presses (sauf la toute première) libèrent les meilleurs jus, les plus riches en sucre et en acidité, qui sont issus de la partie intermédiaire du raisin. Ils constituent la « cuvée », qui sera vinifiée séparément de la « taille », constituée pour sa part des presses suivantes, plus riches en tanins et considérées comme moins nobles. Cette succession de pressurages, qui tassent fortement le marc, serait impossible sans l'utilisation de grappes entières, dont la partie ligneuse (la rafle) assure des drains d'écoulement pour le jus.

Why do harvests have to be manual in Champagne?

One of the rules in the Champagne appellation is that only whole bunches of grapes can be allowed into the press houses that produces the juice. Hence any machine picking is out of the question until machines are able to cut off only whole bunches. One reason for this restriction is that champagne is mainly (about two thirds) made with red grapes and any contact between skins and juice would induce not only a risk of oxidation, but also a colouring of some of the juice by contact with the dark skins. The other is that the pressing of grapes in Champagne is done in large units that take multiples of 4 tons at a time. When pressed, such a mass of grapes becomes quite compact and the tiny drains, formed by the stems within the "cake" of skins, are very useful to evacuate the juice. This is especially so as what flows from the press has to be precisely divided into fractions, based on the quality of the juice.

Pourquoi protège-t-on les vignes avec des filets dans certains vignobles ?

On n'a rien trouvé de mieux que les filets pour protéger les vignes de certains oiseaux particulièrement friands de raisins, et notamment de raisins mûrs. En Nouvelle-Zélande, en Australie, au Canada ou en France (Jurançon), certaines parcelles sont recouvertes ou protégées latéralement (dans le cas de vignes hautes) par de vastes filets qui empêchent ou limitent les attaques de ces prédateurs, tels que les grives, les merles ou les étourneaux. Une autre technique consiste à disposer près des vignobles des « épouvantails » visuels ou acoustiques.

Why does one find nets over vines in some vineyards?
Because these are one of the best ways to protect grapes against some types of birds that enjoy them, particularly when they are ripe. In many countries, such as New Zealand, Australia, Canada or France, and in certain regions, vineyard plots are covered, totally or partially, by netting to prevent birds from pecking at the grapes. In some cases these are stretched over the top of the vines, in others they are placed along the sides. Another deterrent is to use sound guns or scarecrows.

Pourquoi place-t-on des chaufferettes ou des hélices dans certains vignobles du monde ?

En vous promenant en Champagne, à Chablis mais aussi dans certaines régions viticoles de Californie, du Chili, de Nouvelle-Zélande ou du Canada, par exemple, vous serez peut-être surpris par la présence de chaufferettes ou d'hélices disséminées au milieu des vignes. Ce sont deux des techniques en usage pour protéger les vignes des gelées, et notamment des gelées de printemps qui peuvent être particulièrement destructrices pour les jeunes bourgeons, et pour cela redoutées par les vignerons. Les chaufferettes sont des sortes de réchauds à gaz ou à pétrole, disposés dans le vignoble, que l'on allume lorsque la température atteint un seuil critique pour la vigne, et qui, à la nuit tombée, peuvent illuminer des vignobles entiers. Les hélices sont des éoliennes dont les pales vont brasser et réchauffer l'air, et éviter qu'un air trop froid stagne au niveau du sol. D'autres techniques de lutte contre le gel existent, comme l'aspersion des plants de vigne avec de l'eau lorsque surviennent les gelées : un cocon de glace recouvre les jeunes bourgeons et les protège de gelées plus sévères et destructrices. Il faut noter que toutes ces techniques sont coûteuses et pas toujours très écologiques, la palme revenant sans doute au survol des vignes par des hélicoptères, utilisés selon le même principe que l'hélice, et qu'on peut parfois, mais rarement, observer dans le Bordelais.

Why can one find wind propellers, or even oil-fired heaters, in some vineyards?
In the spring time in Champagne, Chablis or Bordeaux, as well as in parts of California, Chile, New Zealand, Canada and elsewhere, you may be surprised to see strange devices in place in the vineyards.

Oil-fired heaters between rows of vines, wind-propellers, and, in some rarer cases, even helicopters! All these techniques, and some others, are used to prevent spring frost from damaging the young buds that are just about to burst (or have done so). These can be redoubtable as the young buds and leaves are fragile and can be destroyed by spring frosts, thereby reducing that year's crop. Warming the air is one solution, but oil-fired heaters, which are lit when temperatures fall to critical levels, are not so ecologically correct and are increasingly replaced by propellers, often situated in low ground, and which move the falling cold air back up, warming it marginally and preventing frost from settling on the vines. A helicopter will have a similar effect but costs more (not to mention the ecological aspect) and so is reserved for more expensive wines. Another technique, used particularly in Chablis, is spraying the vines with water, which, at freezing temperatures, has the effect of forming a pocket of ice around the buds, which in turn acts as an insulator against any lower than freezing point temperatures in the air that would do the real damage.

Pourquoi vendange-t-on parfois en plein hiver au Canada ?

C'est une scène devenue relativement courante au Canada, dans certains vignobles des provinces de l'Ontario et de la Colombie-Britannique : à partir du mois de décembre, en fin de nuit ou à l'aube, lorsque la température passe sous les -8°C, des vendangeurs récoltent grain par grain des raisins saisis par le gel. Ces raisins passerillés (desséchés), très concentrés, riches en sucre et en acidité, servent à produire des vins blancs liquoreux appelés vin de glace ou icewine. On les récolte en situation de gel afin que la glace emprisonne ce qui reste d'eau dans chaque raisin. On prend soin ensuite de séparer ces paillettes d'eau glacée du reste du moût avant la fermentation. Les difficultés, la rareté (très bas rendements) et les risques (maladie, hausse des températures, prédateurs) qui pèsent sur la production des icewines en font des vins rares et chers. Le Canada, grâce à ses hivers précoces et rigoureux, est aujourd'hui le premier producteur mondial d'icewine, loin devant l'Autriche et l'Allemagne (eisswein), qui ont été les premiers à élaborer ce type de vin.

Why are some grapes picked in the middle of winter in Canada?

Winter picking, usually in the small hours of the morning, has become a fairly frequent sight in two of the major wine-growing areas of Canada: Niagara Falls in Ontario, and Okanagan Valley in British Colombia. When, in December, the thermometer falls below -8°C (12°F), pickers harvest grapes that have been, in substance, dry frozen. Highly ripe and with nearly all of their water content removed by freezing (at pressing, the iced water flakes are separated from the juice), the grapes' remaining juice is very concentrated in sugars and acids. With these levels of sugar, fermentation is very slow and the resulting wine is called Icewine. The difficulties of production and the very low yields mean that such wines are necessarily sold for high prices. Canada, on account of its rigorous winters, has an ideal climate for such wines and is now the world's biggest producer, although the technique was initiated in Austria and Germany.

Pourquoi les moines ont-ils toujours planté des vignes, même dans les endroits très reculés ?

Une des règles des ordres monastiques était l'autosuffisance en matière alimentaire. Il fallait même engendrer des excédents, afin d'acheter des biens qui ne pouvaient être produits sur place. Le vin y jouait un grand rôle, à la fois comme complément alimentaire, comme boisson digne des hôtes de passage (l'hospitalité était un devoir) et comme objet d'échange ou de vente. Enfin, n'oublions pas qu'il fallait du vin pour le service des sacrements pendant la messe. Les monastères avaient donc toutes les raisons de planter de la vigne et de la soigner. Ils sont même devenus les gardiens de la tradition viticole en Europe après la fin de l'Empire Romain. Beaucoup des avancées dans la connaissance de la vigne et du vin ont été le fait des ordres monastiques jusqu'au XVIIème siècle. Assez peu de gens hors des monastères savaient lire et écrire, et, propriétaires des mêmes vignobles pendant des siècles, les moines ont eu le temps d'observer la vigne et d'adapter leurs pratiques viticoles, consignant parfois les résultats. Cela est particulièrement avéré dans l'est de la France et en Allemagne : par exemple en Bourgogne, en Champagne, et le long du Rhin.

Why did monks plant vineyards, even in remote places?

One of the rules of monastic orders was to be self-sufficient in terms of food and drink. It was also very useful to create saleable surpluses, in order to be able to acquire goods that could not be produced by the monks. Wine played a considerable part in this pattern, both as a dietary complement, as a luxury drink worthy of guests (another rule concerned hospitality and shelter), and as a saleable commodity. And we should also remember that wine was necessary for the celebration of mess. Monasteries therefore had many good reasons to plant vines and tend them. Indeed, during the so-called Dark Ages, they became, by default, the guardians of the vine-growing and wine-

making traditions that had been introduced throughout Europe by the Romans. Much of the wine knowledge acquired up to the end of the 18th century was due to monks, since few other people knew how to read and write. In addition, monks usually held their land for hundreds of years, and their long-term observation of natural phenomena and work processes provided, for example, knowledge of the best vineyard sites in many areas, such as Burgundy or Champagne, and also the Rhine and Mosel regions of Germany.

La vinification
Winemaking

Pourquoi le jus de raisin se transforme-t-il en vin ?

Un jus de raisin pasteurisé ou stérilisé, comme une brique de jus de raisin achetée dans le commerce, ne produira pas d'alcool et ne se transformera jamais spontanément en vin. Pour qu'un jus de raisin s'alcoolise, il faut non seulement qu'il contienne du sucre (c'est toujours le cas), mais aussi des levures. Or, ces petits organismes unicellulaires sont présents à l'état naturel dans les vignobles et dans les chais, parfois sur la peau du raisin ; on peut aussi choisir d'en ajouter. Mises en contact avec le sucre du raisin (fructose et glucose), et à certaines conditions de température (entre 10 et 35°C), elles agissent et transforment le sucre en alcool (éthanol) et en gaz carbonique (qui s'échappe des cuves mais que l'on peut conserver si l'on veut produire des vins effervescents). Il faut à peu près 17 grammes de sucre par litre pour générer 1% d'alcool. Cette transformation chimique très complexe s'appelle la fermentation. Si l'on ajoutait des levures adaptées (l'espèce la plus utilisée est la saccharomyces cerevisiae) à un jus de raisin acheté dans le commerce, et qu'on le garde à la bonne température, il y a toutes les chances que le jus se mette à fermenter et à produire de l'alcool.

How does grape juice get turned into wine?
This is no accident, even if it may have started this way! Pasteurised or sterilised grape juice will not spontaneously ferment and therefore cannot produce wine without assistance. For this to happen, there must indeed be sugar present in the juice or the fruit, but also yeasts which, under the right conditions, will transform all or some of the sugar into alcohol. These small unicellular fungi are to be found naturally in most vineyards and wineries. They can also be selected and cultivated, in order to be added to grape juice (known in this case as "must") in

tanks. At temperatures between 10° and 35°C (50° and 95°F) they will transform sugars into alcohol (ethanol), giving off quite a lot of carbon dioxide gas in the process. The latter usually evaporates from the top of the fermenting vessel, but some of it can be retained in the case of sparkling wines. Roughly speaking, 17 grams of sugar per litre will produce 1° of alcohol. This complex (other things happen) chemical process is called fermentation. So, if you add some yeast (the most utilised of the many varieties is saccharomyces cerevisiae) to your fruit juice and maintain it at the right temperature, you have a chance of producing some wine. As to its quality, that is another issue!

Pourquoi le vin se transforme-t-il parfois en vinaigre ?

Le terme vinaigre signifie à l'origine « vin aigre ». C'est effectivement ce qui guette un vin si on ne le protège pas suffisamment de l'air, qu'il est permis de considérer comme l'ennemi principal du vin. A l'origine de cette transformation malheureuse, il y a un groupe de bactéries (dites acétobacter) qui se développent dans le vin lorsque certaines conditions sont réunies, et notamment la présence d'une grande quantité d'oxygène. Une fois multipliées, ces bactéries vont transformer l'alcool en acide acétique qui, à une certaine concentration, font du vin un vinaigre. Le goût de cette « piqûre acétique » est très caractéristique : le vin devient férocement acide et imbuvable. Pour prévenir ce qui serait une catastrophe, le vigneron évite d'exposer le vin à l'oxygène ; il surveille également les températures de fermentation, ainsi que le taux d'alcool et d'acidité du vin, car ces acétobacters prospèrent dans un milieu chaud (30 à 40°C), peu acide et peu alcoolisé. L'autre parade consiste à utiliser du soufre (sous forme d'anhydride sulfureux), en proportion raisonnable, ce qui inhibe ou tue ces bactéries indésirables.

Why does wine sometimes turn to vinegar?
The term vinegar comes from vin aigre, which means sour wine in French. And wine can indeed go sour if it is not sufficiently protected, particularly from air which can carry, amongst other things, acetic

bacteria. One could say that air can be wine's worst enemy, but it is also necessary to wine in limited quantities and at certain times. Acetobacters develop in wine (and in other substances with low levels of ethanol) under certain conditions, especially the presence of large quantities of oxygen. As they multiply, these bacteria change some of the alcohol into acetic acid, which, above a certain level, will make that partially made wine turn into what we call vinegar. The taste is very characteristic as it is ferociously acidic and quite unpleasant to drink. To prevent what is a potential disaster for the wine producer, wines should be protected from too much oxygen at critical times, and levels of both alcohol and acidity controlled, as well as temperatures. Acetobacters prosper in warm conditions (30/40° C, or 80/104°F), and at low levels of alcohol and other acids. One of the best protections comes from sulphur dioxide, which, used in reasonable quantities, inhibits or kills these bacteria without harming anyone else.

Pourquoi ne fait-on pas de vin avec du raisin de table ?

Il est rare que les cépages à raisin de table (ceux destinés à être consommés frais) soient utilisés comme raisins de cuve. Les uns et les autres ne répondent pas aux mêmes « cahiers des charges » : un raisin de table doit posséder une pulpe ferme et croquante, souvent moins juteuse et moins acide qu'un raisin de cuve, mais aussi une peau dure pour résister au transport et aux diverses manipulations. La plupart d'entre eux sont produits dans des régions au climat chaud, qui leur permettent d'arriver rapidement à maturité et d'être épargnés par les problèmes de pourriture. La nécessité de produire une quantité importante de raisins chargés en pulpe (les raisins de cuve sont souvent plus petits et possèdent un ratio peau/pulpe moins important) rend souvent nécessaire l'irrigation et l'utilisation d'engrais ; les fongicides sont alors souvent utilisés, qui ont pour effet de faire disparaître les levures du raisin. Or les levures sont indispensables à une future fermentation. Néanmoins, certains cépages sont polyvalents, comme le chasselas et des variétés de muscats (muscat de

Hambourg ou muscat d'Alexandrie).

Why don't we use table grapes to make wine?

This can occur, but it is quite rare. The main reason is that the requirements for grapes due to be transformed into wine can be very different to those for table grapes. Most table grapes have firm flesh inside a firm skin envelope, both of which permit resistance to handling and transport. They therefore contain, on the whole, less juice than wine grapes, and that juice is less acid and the skins less tannic. Most table grapes are grown in warm and dry climates, which enable rapid ripening and avoids rot problems. The climates for wine grapes are far more diverse. Irrigation is often used for table grapes, whereas it is generally limited or even forbidden for wine grapes. And various fungicides are usually applied to table grapes to kill any yeast present and thus prevent fermentation.

However there are a few varieties that can be used both for wine and for table grapes, such as the various forms of muscat (red and white) or the white chasselas. Naturally the viticultural practices will differ according to the final destination.

Pourquoi le jus de raisin a-t-il besoin de l'intervention du vigneron pour devenir du vin ?

On entend souvent dire que le vin est un produit « naturel ». C'est une maladresse de vocabulaire qui veut souligner le fait que le vin a un lien fort à la terre et qu'il ne nécessite pas, ou peu, de produits exogènes, et moins d'interventions que beaucoup d'autres alcools. Mais ce « peu » et ce « moins » restent absolument indispensables. Une fois le jus de raisin transformé en vin par la fermentation, qui exige en elle-même beaucoup de précautions, comme l'emploi de levures adéquates (éventuellement ajoutées) et une maîtrise des températures, celui-ci reste un produit éminemment fragile, chimiquement complexe et instable, susceptible à tout instant de tourner au vinaigre ou de subir d'autres altérations indésirables. Il requiert donc de la part du vigneron une surveillance constante et des interventions répétées. Celles-ci prennent des formes multiples : apport de soufre à différents moments, maintient de températures adaptées, stabilisation du vin par des soutirages, des bâtonnages, des ouillages, etc. En bref, il est impossible de produire un bon vin sans ce travail précis et incessant. Plus qu'un produit naturel, un vin résulte donc d'une collaboration étroite et bien comprise entre la nature, le vigneron et la technique. La connaissance des processus chimiques du vin a fortement progressé et on est mieux armé aujourd'hui qu'hier pour empêcher et prévenir sa dégradation, ce qui ne signifie pas nécessairement que son lien à la nature ait été rompu, même si certaines pratiques actuelles restent discutables (concentration, acidification ou chaptalisation des moûts, utilisation de levures « aromatiques », de copeaux de chêne...).

Why does grape juice require so much care and technology to be made into wine?

One sometimes hears that wine is a "natural" product, or people talking about "natural" wine. These terms are inexact and, finally, quite meaningless. The intention is good enough: the sense is that wine has an agricultural origin and often has a strong link with the place it comes from. The production of a wine does not necessitate the use of many extraneous products in addition to its basic ingredients which are grapes and yeast, although minor quantities of other products can be more than useful, and indeed are often vital. One has to remember that wine is an organic substance and so is inherently chemically unstable. It therefore requires careful handling at all stages and numerous precautions to be taken: careful viticulture and grape handing, suitable yeasts strains (whether indigenous or selected), good hygiene in the cellar, protection from air, controlled temperatures, and so on. Many things can go wrong in the wine-making process! So knowledge is essential and a certain number of tools are required. But this does not mean that wine-making can be reduced to a technological free-for-all. It simply requires careful and painstaking work that needs considerable experience to manage and understand the process. Wine is definitely NOT a produce that simply happens, and those who say they just let it happen are either being modest or not telling the whole truth! Full collaboration between nature, technology (however simple or complex) and man is required.

Understanding the biology and chemistry of wine is one of the great advances of modern wine-making. As a result, there are far fewer bad wines, and more good ones produced. And this has not implied that the link with "nature" has been broken. Current progress in knowledge about wine has its front in the vineyard, and, increasingly, excessive use of interventionist techniques like concentration, chaptalisation, acidification, adding wood chips and so forth, are under close scrutiny to see whether there are not better alternative practices for improving wines.

Pourquoi foulait-on le raisin avec les pieds autrefois ?

Dans le cas d'un vin, « fouler » signifie briser les peaux des raisins afin de provoquer un contact entre celles-ci et la pulpe à l'intérieur de la baie. Cela est fait pour faciliter le début de la fermentation et engendrer un transfert de matières sapides et colorantes des peaux vers le jus. Aujourd'hui, des appareils spéciaux font ce travail, mais autrefois on écrasait légèrement la masse de raisins avec les pieds, avant de transférer le jus et les peaux dans une cuve de fermentation. Il existe encore des endroits où cette technique, primitive mais efficace, a toujours cours, comme dans la vallée du Douro, au Portugal, pour l'élaboration de certains vins de Porto.

Why were grapes trodden by foot in former times?
Treading grapes signifies crushing them under foot in order to liberate some of the juice and provoke contact between this juice and the skins. This facilitates the start of fermentation and encourages a gradual transfer of flavour and colouring from the skins to the juice. Nowadays special machines do this job, but it used to be effectively conducted by stamping on the grapes by foot before transferring the mashed grapes and juice to a fermenting vessel. This age-old technique is still in use in some vineyards, such as in the Douro Valley of Portugal which produces port, some of which employ this very efficient but labour-intensive method.

Pourquoi ne faut-il surtout pas écraser les pépins lors de la presse du raisin ?

Les pépins, mêmes bien mûrs, contiennent des tanins amers. Il suffit d'en croquer pour s'en convaincre. Dans le vin, cela se traduirait par des saveurs très amères, vertes, désagréables et persistantes, d'où la nécessité d'un pressurage doux des raisins, qui évite d'écraser les pépins.

Why should one avoid crushing pips when pressing grapes?
Grape pips, even when fully ripe, contain a bitter-flavoured oil. Biting a pip will give you a good idea of this. This extreme form of bitterness is usually to be avoided in wines, as its greenness is unpleasant to the palate. Thus grapes are pressed with care, slowly and progressively, to avoid crushing the pips.

Pourquoi les températures de fermentation ne sont-elles pas les mêmes pour le vin rouge et le vin blanc ?

La question de la température de fermentation est cruciale : à moins de 10°C, les levures n'agissent que peu ou pas, et à plus de 45°C, elles meurent. Dans l'un ou l'autre cas, la fermentation est stoppée. Mais ces températures agissent également sur les saveurs, les arômes et la couleur du futur vin. Les vins rouges et les vins blancs ne sont donc pas soumis aux mêmes impératifs.

Dans le cas des vins rouges, les fermentations se déroulent autour de 25 à 30°C, température recommandée non seulement pour conserver de beaux arômes mais aussi pour extraire les tanins et la couleur contenus dans les peaux des raisins, qui, dans le cas des vins rouges, macèrent avec le jus pendant la fermentation.

Pour les vins blancs, il n'y a ni extraction de couleur ni extraction de tanins, puisque seul le jus fermente (les peaux ayant été écartées lors du pressurage), et l'important est ici de conserver les arômes primaires du raisin. Les températures de fermentation sont donc plus basses, comprises entre 12 et 20°C, en fonction des régions, des cépages et des contenants (fût ou cuve).

Why are fermentation temperatures different for white wines and red wines?
Fermentation temperatures are quite a critical issue, since below 10°C (50°F) yeasts tend to hibernate, whereas temperatures above 45°C (113°F) will kill them. In either case fermentation stops, and the results can be dramatic. But precise temperature zones also act differently on the aromas, flavours and colours of a wine, and hence red wines and

white wines are usually fermented at different temperatures.
In the case of red wines, fermentation usually takes place in the region
of 25/35°C (77/95°F). This range permits not only the extraction of
many fine aromas, but also tannins and colouring ingredients to be
found in grape skins which, in the case of red wines, are macerated
with the juice, even after the alcoholic fermentation process is over.
For white wines there is neither extraction of colour nor of tannins, as
the skins are discarded before fermentation,
leaving the juice alone in the fermentation
vessel, whether this be a tank or a barrel.
Here it is often important to maintain
freshness and the most delicate aromas
in the wine, and so these are fermented
at lower temperatures, generally between
10 and 20°C (50 and 68°F). The exact
temperature range will depend on the style
of the wine, its grapes and the fermenting
vessel used.

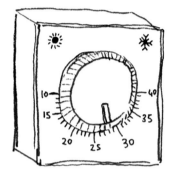

Pourquoi ajoute-t-on parfois des levures dans le moût au début de la vinification ?

Les levures sont les organismes unicellulaires nécessaires à la fermentation, c'est-à-dire de la transformation du sucre en alcool. Il en existe deux sortes utilisées dans la vinification ; celles dites « indigènes» (ou «sauvages ») parce que présentes dans le vignoble ou dans le chai, et celles dites « sélectionnées », c'est à dire exogènes et ajoutées au moment de la fermentation. Les producteurs peuvent choisir les unes ou les autres, éventuellement les combiner, en fonction de leur philosophie, du déroulement de la fermentation, du style ou du volume de vin qu'ils souhaitent produire. Certains utilisent, par conviction, uniquement des levures indigènes, en assumant les risques d'un arrêt de fermentation en cas de levures défaillantes ou pas assez nombreuses ; d'autres recourent uniquement à des souches sélectionnées (mais issues, au départ, de levures sauvages) dont le comportement plus prévisible les met à l'abri des problèmes de fermentation.

Why are yeasts sometimes added to grape must prior to fermentation?

Yeasts are unicellular bodies which engender the fermentation process, by which sugars are converted into alcohol. There are several yeast genera used in fermenting wine, most of which are naturally present in and around the vineyard, either on grapes or in the winery. These "wild" yeasts may or may not be fully efficient at converting all the sugar in grapes into alcohol. Selected yeasts, which have proved their efficiency, are however widely cultivated and are mostly from the genus saccharomyces and the variety cerevisae. A producer has the choice between letting the indigenous yeasts go to work, and introducing selected yeasts into his fermenting vessels in measured quantities. This can become a dogmatic stance, with many small producers claiming that "natural" yeasts (they mean indigenous, since all yeasts are natural!) provide part of the flavour identity of their wine. This may be true, but there are often good reasons for relying on cultivated yeasts, particularly when one is producing large quantities of a wine, in order to limit the risk factor. Many indigenous yeasts, for example, do not like higher levels of alcohol and so fermentation may be arrested in its process.

Pourquoi ajoute-t-on du soufre dans le vin ?

Le vin est un produit chimiquement instable, dans lequel peuvent vivre et prospérer, pendant longtemps, une large gamme de bactéries et de levures, dont certaines sont capables d'altérer le vin d'une manière irréversible, le transformant en vinaigre ou en liquide au goût désagréable. Parmi l'arsenal à disposition des producteurs pour déjouer les attaques de ces micro-organismes, le soufre a une place essentielle. Ses vertus antiseptiques et anti-oxydantes sont connues depuis longtemps. Les Romains l'utilisaient déjà pour nettoyer les logements vinaires mais ce sont les Hollandais qui en répandirent l'usage en France à partir du XVIIème siècle avec l'invention de la mèche à soufre qui servait à désinfecter les fûts avant leur réutilisation. Aujourd'hui, le soufre (sous la forme d'anhydride sulfureux en forme de bâtons, puis en forme liquide) est utilisé pour protéger le raisin, le moût et le vin des effets des bactéries et de l'oxygène, depuis la vendange jusqu'à la mise en bouteille. Si la législation impose un dosage maximum, c'est d'abord le bon sens du vigneron qui doit en limiter l'utilisation au strict nécessaire, parce que l'expression aromatique d'un vin trop soufré se « bloque » et peut même dégager des arômes désagréables. Certains vignerons refusent l'utilisation du soufre, par philosophie et par volonté de produire des vins les plus « naturels » possibles, c'est-à-dire proches du fruit et du terroir. Cela exige beaucoup de rigueur en matière de culture, de vendange et de vinification de la part du vigneron, mais aussi de précautions de stockage de la part du revendeur et du consommateur final, car ces vins restent fragiles et sont susceptibles de re-fermenter, voire de dégager des arômes ingrats.

Why is sulphur added to wine?

Wine is chemically unstable, and a wide range of yeasts and bacteria can survive and prosper for some time in wine. Oxygen is another destabilizing factor. All of these, individually or combined, have the potential to irreversibly alter and spoil a wine, transforming it into vinegar or something full of unpleasant smells and tastes. One of the most versatile preventive tools available to winemakers to counter such threats is sulphur. Naturally present in the earth's crust, its virtues as a cleansing agent and a preservative were known back in Ancient Roman times. Used in Germany from the 15th century, it was introduced to France by the Dutch as from the 17th century, in the form of sulphur wicks which were burnt in barrels to disinfect them. Nowadays sulphur dioxide is used in various forms, to protect either freshly picked grapes, grape must or wine from bacteria and oxidation, at various stages of the process from harvest to bottling. Most added sulphur disappears during the winemaking process, but legislation imposes maximum levels for sulphur in bottled wine. Good winemakers tend to use much less than these maximum authorised levels, as too much sulphur will prevent the wine's aromas from showing well, and excessive doses can be disagreeable and even produce headaches for the consumer. A few producers refuse to add any sulphur at all, claiming that the wine thus shows better fruit or other flavours. The problem with such wines is that they are very fragile and must be transported and stored at constant and low temperatures. If not, some start refermenting, while others develop unpleasant aromas. They do not age well either.

Pourquoi y a-t-il des bulles dans le champagne ?

Parce que le dioxyde de carbone est un des produits de la fermentation alcoolique ! Pour élaborer un vin tranquille, on laisse échapper ce gaz, mais, dans le cas d'un champagne ou autre vin « mousseux », il reste emprisonné dans la flacon. Sur le plan gustatif, la bulle donne une sensation de fraîcheur à des vins effervescents. Mais quel est le processus qui permet la conservation de ce gaz dans un vin ? Lors de la fermentation, le sucre, sous l'action des levures, se transforme en alcool et en CO_2. Pour produire un vin effervescent, il faut conserver ce gaz carbonique. Les premiers vins effervescents étaient le fruit d'une mise en bouteille précoce de vins n'ayant pas terminé leur fermentation. Cette méthode, dite « rurale », existe toujours dans certaines régions. Mais en Champagne, au cours du XIXème siècle, on a progressivement maîtrisé le processus en le décomposant. Après une première fermentation classique, on va embouteiller des vins tranquilles en y ajoutant une liqueur (dite de « tirage ») composée d'un mélange de vin, de sucre et de levures. Une seconde fermentation se produit alors dans la bouteille avec un dégagement d'une quantité précise de gaz carbonique, qui reste cette fois prisonnier du flacon. La naissance du champagne mousseux est donc indissociable de la pratique d'embouteiller les vins. Cette mode est née en Angleterre à la fin du XVIIème siècle, a gagné la France au début du XVIIIème siècle, et les deux siècles qui ont suivi ont vu une lente maîtrise de ses techniques de production.

Why are there bubbles in champagne and other sparkling wines?

Simply because carbon dioxide is one of the products of alcoholic fermentation! In order to produce a still wine, this gas is liberated into the atmosphere, but, in the case of sparkling wines such as champagne, ways are found to keep some in the bottle, engendering varying levels of pressure and the formation of bubbles when the wine is poured. Apart from their visual attraction, these bubbles produce a pleasantly fresh and crisp sensation on the palate. But how does one produce this gas? During fermentation, sugar, through the action of yeasts, is transformed into alcohol and CO_2. The next problem is how to maintain some of it in the bottle. The first sparkling wines were almost certainly produced accidentally by bottling wine that had not finished its fermentation. If the bottle didn't explode through too much internal pressure, then you had a sparkling wine. This technique, *which has been made more precise, still exists today and is called the "rural" method. The process was then further refined in Champagne during the course of the 19th century, where it was gradually broken down into its components. After first producing a still wine, with all the sugar fermented, this wine is poured into strong bottles and precise quantities of sugar and yeast are added. This generates a second fermentation in the sealed bottle. Since the fermentation process was discovered by Pasteur in the late 19th century, the formula is known and the pressure developed can be precisely calculated. Sparkling wines could not have existed before the introduction of reliably solid bottles, which were invented in England during the 17th century, coming to France some years later. Since then, techniques have been refined and there are several variations, including a second fermentation in pressurised tanks, which reduces production costs for less expensive sparkling wines.*

Pourquoi la plupart des étiquettes de champagne n'indiquent-elles pas le millésime ?

Un champagne est très souvent, mais pas nécessairement, le résultat d'un « mélange » de vins, pouvant provenir de plusieurs cépages, crus ou millésimes. C'est particulièrement le cas pour les champagnes sans indication d'année, dits « non-millésimés », et qui représentent l'écrasante majorité des champagnes produits. La raison essentielle en est la recherche d'une constance de goût : chaque producteur tente de reproduire d'année en année un style de vin qui lui est propre et qui constituera sa signature. Pour recomposer ce goût, il joue avec toute la palette des vins dont il dispose : les cépages et les crus offrent des vins au caractères différents que l'on marie en fonction du résultat souhaité. On ajoute aussi des vins issus d'années antérieures (« vins de réserve »), qui viendront atténuer la vivacité des vins de l'année dominante, ce qui est bien utile dans une région de climat frais très sujette aux écarts de millésimes.

Why do the majority of champagnes not carry a vintage year?
Champagnes are very often, but not always, produced by blending together wines from different grape varieties, vineyard sites and even

harvest years. This is of course particularly true for "non-vintage" wines which form the vast majority of champagnes produced. The reason for this is the variability of weather conditions in this very cool region, which mean that the best way of making quality more regular is to blend some wine from a very good harvest, and sometimes from several years, with that from the latest vintage. These older wines are known as "reserve" wines. Constancy of style is the name of the game for non-vintage champagnes, whereas, for a vintage champagne, only the best years are vintaged and these will naturally vary in character according to the weather that year.

Pourquoi dit-on que c'est Dom Pérignon qui a inventé le champagne ?

D'une manière générale, les mythes sont tenaces dans le domaine du vin. Voici un bel exemple ! Dom Pérignon était un moine qui était, à la fin du XVIIème siècle et au début du XVIIIème, chef cellérier à l'Abbaye de Hautvillers, près de la ville d'Epernay. Comme souvent, une des activités essentielles de cette abbaye était l'exploitation d'un vignoble et la production de vin. Dom Pérignon a acquis, de son vivant, une haute réputation pour la qualité de ses vins. Mais ces vins étaient tranquilles, comme l'ensemble de la production champenoise de l'époque. Ni lui, ni ses successeurs immédiats, n'ont jamais fait allusion à une quelconque effervescence dans les vins. Dom Pérignon est mort en 1715, et l'autorisation royale de mettre en bouteille du vin en Champagne ne fut accordée qu'en 1728. Or, il est totalement impossible d'obtenir un vin mousseux sans une bouteille solide et un bouchon résistant. Dom Pérignon n'a pas pu « inventer » le champagne mousseux. En revanche, de tels vins existaient en Angleterre au moins depuis 1660, car la bouteille « industrielle » y avait été inventée vers 1625, et certains négociants anglais mettaient en bouteille le vin de Champagne reçu en tonneaux, en y ajoutant parfois un peu de sucre, ce qui déclenchait une poursuite de la fermentation. Les raisons de la genèse du mythe de Dom Pérignon, « inventeur » du champagne effervescent, sont purement commerciales. L'Abbaye de Hautvillers, propriété de Mercier, fait maintenant partie de Moët & Chandon, depuis que cette dernière a acquis Mercier. Le mythe est né lorsque la cuvée de prestige Dom Pérignon a été créée par Moët & Chandon.

Why is it said that the monk Dom Perignon « invented » sparkling Champagne?

Myths can be incredibly tenacious in the field of wine, and this is a good example! Dom Perignon was a monk who worked, around the end of the 17th century and the beginning of the 18th, as cellar-master at the Hautvillers Abbey, near the town of Epernay in the Champagne region. As so often, one of the essential activities of the abbey was the management of a vineyard and the production of wine. Dom Perignon acquired, during his lifetime, an excellent reputation for the quality of his wines, but these were still wines, not sparkling, as indeed was the entire local production of that time. Neither he, nor his immediate successors, made any allusion to the fact that the wines he produced contained bubbles. Dom Perignon died in 1715, but the royal warrant which authorised wines from Champagne to be bottled in their region of production was only published in 1728. It is totally impossible to maintain gas under pressure without a hermetic enclosure such as a bottle equipped with a solid cork. And without pressure, no bubbles! Dom Perignon certainly could not have "invented" sparkling champagne. So who did? Sparkling champagne existed in England as from around 1660, some forty years before it did in France, as can be proved by various written testimonies, including plays that describe such wines. Industrial or pre-industrial glass bottles were invented in Derbyshire in 1625. Some English wine merchants started bottling wines in these stronger bottles and discovered, by chance, that wines from Champagne, which, as all wines, were then shipped in barrels, would often start to sparkle in the bottle, especially if they added a little sugar. New consumers under the Restoration loved this new style of wine, much to the horror of contemporary French observers!

The true reasons for the birth of the Dom Perignon myth are commercial. The Mercier family had acquired the Hautvillers Abbey and, when Champagne Mercier was bought by Moët & Chandon, this company decided to commemorate the long-dead monk when they were looking for a name for their top-of-the-range cuvée.

Pourquoi faut-il que le chai soit toujours très propre du sol au plafond ?

Le vin est un produit vivant, complexe, instable et fragile, très sensible à son environnement. Les bactéries, les champignons, la température, l'humidité, les odeurs : tout est potentiellement une menace. Produire et élever un vin dans un chai malsain, c'est prendre le risque de voir le vin décliner, s'oxyder, tourner au vinaigre ou développer des arômes désagréables. Un chai digne de ce nom doit donc être bien entretenu, sain, frais, aéré, fonctionnel, facile à nettoyer et suffisamment spacieux.

Why is it important for things to be clean in a winery?

Wine is a living substance which is chemically complex and hard to stabilize. It is also very reactive to changing environmental conditions such as temperature and humidity, not to mention air, a wide range of bacteria and fungi, and other substances in the winery. Making and storing wines in unclean conditions means multiplying the risks that those wines are adversely affected by such dangers. A good winery should be kept clean and tidy, have good aeration and, if possible, controlled and fairly stable temperatures.

Pourquoi utilise-t-on des cuves en inox ?

Pour la fermentation et le stockage des vins, les producteurs ont le choix entre plusieurs types de contenants qui peuvent être en bois, en béton, en fibre de verre ou en acier inoxydable (inox). Malgré leur prix élevé, les cuves en acier inoxydable ont la faveur de beaucoup d'entre eux. Leur avantage tient d'abord à leur résistance, et à leurs facilités d'entretien et de nettoyage (à l'eau le plus souvent). Elles permettent également de mieux contrôler les températures de fermentation grâce à une enveloppe réfrigérante et à des serpentins dans lesquels on fait circuler une eau refroidie ou réchauffée, au gré des besoins. Elles sont faciles à fermer de manière totalement hermétique et, si nécessaire, on élimine la présence d'oxygène en remplissant la vidange de gaz inerte. Cette étanchéité permet donc d'éviter toute oxydation mais, pour certains vins, l'absence totale d'oxygène (milieu réducteur) peut se traduire par l'apparition d'arômes désagréables (dits de « réduction »). L'idée d'utiliser des cuves en acier inoxydable vient de deux autres industries, le lait et la bière, et fut introduite en France en début des années 1960. Aujourd'hui ce matériel équipe la plupart des chais.

Why is stainless steel used in winemaking?
Because it is easy to clean and can be heated and cooled simply.
For tanks in which to ferment and store their wines, producers have a
choice of materials between wood, concrete, fibreglass, painted steel
or stainless steel. They all have their advantages and disadvantages.
Despite their relatively high cots, stainless steel tanks currently
dominate. They are resistant and easy to clean, and they make
it fairly easy to control the temperature of the wines they hold by
means of water in tubes or jackets either within or around the tanks.
This water can be cooled or heated according to requirements. They
are also easy to close hermetically when necessary, thus eliminating
the presence of oxygen by filling the top of the tank with inert gas.
The initial idea for using stainless steel came from the beer and
milk industries and the first one was introduced in France in 1961.
Stainless steel is also widely used for other equipment such as
presses, tubes and pumps.

Pourquoi met-on le vin dans des tonneaux de bois ?

Succédant à l'amphore, le tonneau de bois, de différentes formats, a été pendant 2000 ans le contenant presque exclusif du vin, servant à la vinification, au stockage, au transport et à la vente du vin. L'importance du volume de vin autrefois transporté dans des tonneaux est attestée par le fait qu'on mesure encore la capacité d'un navire en « tonneaux ». Au XXème siècle, d'autres matières sont apparues, comme le béton, la fibre de verre ou l'inox, mais l'usage du tonneau (barrique ou foudre) s'est maintenu à la fois pour la vinification (cas de certains vins blancs) et pour l'élevage de certains vins. Le tonneau n'est pas qu'un contenant de stockage, car il influe aussi directement sur les arômes et la structure des vins. Un récipient en bois laisse passer un peu d'air, essentiellement par le trou de bonde qui permet son remplissage. Cela provoque une oxydation très lente et limitée du vin, assouplissant ses tanins (dans le cas des vins rouges), complexifiant ses arômes et, parfois, renforçant sa couleur. L'usage de fûts neufs induit aussi souvent l'apparition d'arômes spécifiques, dits boisés, et apporte parfois un peu de tanins. La taille et l'âge du contenant sont déterminants dans le degré de ces interactions. Le bois favorise aussi la clarification et la stabilisation naturelles des vins. Elever un vin en barrique est coûteux et nécessite plus de soins et de manipulations que d'autres types de contenants. On les réserve donc généralement à des vins d'un certaine valeur.

Why are some wines kept in wooden barrels?

After the Roman amphora, the wooden barrel in different shapes and sizes became, for almost 2000 years, practically the exclusive recipient for wine in many countries, serving for fermenting, storing and shipping. Wine was even sold directly from the barrel for a long time. The importance of the shipping of wine in barrels can be judged by the fact that, even today, the capacity of a ship is expressed in tons or tonneaux (meaning barrels). With the arrival of the 20th century, alternative materials appeared, such as concrete, then steel and, later on, stainless steel and fibreglass. But the use of wooden tanks, and especially barrels, has been maintained alongside these modern materials, both for fermenting and ageing certain wines, especially the more expensive ones. Wooden barrels serve other purposes than simply being a recipient, as they tend to influence several aspects of a wine, starting with its limpidity by helping the wine to clarify itself due to the barrel's proportions. Wooden vessels are not fully airtight, so a barrel will allow tiny amounts of air into the wine of a period of time, and this can be beneficial in rounding out some of the more ungainly aspects of young wines. It may also cause the colour to intensify. If new oak barrels are used, the influence may include the transmission of oak-type aromas and flavours to the wine, such as spices, vanilla, or things reminiscent of coffee beans. Texture of wine can also be made smoother by a spell in barrels. The size of the wooden recipient will also affect this influence, as the smaller the barrel, the greater the contact area between wood and wine. But fermenting or raising wine in barrels is a costly operation and is therefore reserved for the more expensive wines.

Pourquoi les tonneaux sont-ils en chêne, plutôt qu'en peuplier ?

Si aujourd'hui le chêne est presque exclusif, il n'en a pas toujours été ainsi et, au gré des époques et des essences disponibles dans les régions de production, on a pu utiliser d'autres types de bois, parmi lesquels l'acacia, le pin, le cyprès, le frêne, l'ormeau, le châtaignier, le séquoia ou le peuplier. Avec le temps, le châtaignier et le chêne se sont imposés grâce à leur résistance, à leur souplesse (leur capacité à être cintrés) et à leur aptitude à communiquer aux vins des arômes intéressants mais pas envahissants, avant que le premier décline à cause de sa sensibilité à certains parasites (vers) et à la rudesse de ses tanins. On peut néanmoins encore trouver en France, en Allemagne, en Italie ou au Portugal de grandes cuves ovales en bois de châtaignier. Il existe plusieurs centaines d'espèces de chêne différentes mais la plupart des fûts et foudres sont issus de trois variétés de chêne ; deux sont présentes en Europe, et une aux Etats-Unis.

Why are wine barrels made of oak, rather than other woods?

If today oak is almost exclusive as a wood type used for making barrels and tanks, this has not always been the case. At various times and in various places, woods such as elm, pine, acacia, poplar, cypress, ash, chestnut and wild cherry have all been used. Over time, chestnut and oak gradually imposed themselves for their mechanical resistance, their capacity to stay damp without rotting, and their ability to be shaped by steaming. Through practice, it was also discovered that the flavours they imparted to wine was sometimes beneficial, especially in the case of oak. Chestnut was more sensitive to certain parasites and the tannins it released to the wine were harsher than those of oak. One can still find large chestnut tanks and barrels in many countries, but oak today dominates the market. There are many different varieties of oak, but most oak wine vessels use just three of these, two of which are to be found throughout Europe, and the third in North America.

Pourquoi n'a-t-on pas le droit d'ajouter du sucre dans les moûts dans les régions chaudes ?

La pratique qui consiste à ajouter du sucre, sous différentes formes (sucres de betterave, de canne à sucre ou raisin concentré), au moût de raisin avant la fermentation s'appelle la chaptalisation. Son nom vient de l'inventeur du procédé, Jean-Antoine Chaptal, qui a découvert, au début du XIXème siècle, l'importance du sucre dans la fermentation. Le but est d'augmenter le degré d'alcool dans le vin fini, pour compenser des carences éventuelles dans ce domaine. Elle concerne donc surtout des régions viticoles de climat frais ou tempéré où les raisins peinent, certaines années, à atteindre le niveau de maturité souhaité. Interdire la chaptalisation dans les régions et pays chauds est donc une question de bon sens dans la mesure où les raisins ne manquent ni de soleil ni de chaleur.

Why is chaptalisation not authorized in hot climates?
Chaptalisation is the name given to the process of adding some sugar (or concentrated grape juice) to grape must that is considered to be insufficiently rich in natural sugar. The result is an increase in the alcoholic levels of the wine in question, after fermentation. Its name comes from the inventor of this process, Jean-Antoine Chaptal, a French chemist and minister who died in 1832. It is regularly used in many cool climate regions where grapes do not always reach full ripeness. The banning of this process in warm climates is perfectly logical since these have sufficient sun and warmth to produce fully ripe grapes.

Pourquoi ne fait-on du vin qu'avec du raisin ?

C'est une question de définition légale : en Europe, le vin est « le produit obtenu exclusivement par la fermentation alcoolique, totale ou partielle, de raisins frais, foulés ou non, ou de moûts de raisins ». Mais beaucoup d'autres boissons alcoolisées sont, comme le vin, issues de la fermentation de fruits à jus : le cidre (issu de la pomme) et le poiré (issu de la poire) sont les plus connues mais on produit également des boissons issues de la fermentation du sureau, de la groseille, de la fraise ou de la framboise parmi beaucoup d'autres. Tous les fruits suffisamment sucrés peuvent théoriquement être fermentés, y compris les fruits sans jus comme la banane (on produit des « vins » de banane en Afrique Noire). Mais ces produits ne peuvent pas s'appeler « vins ».

Why is wine only made with grapes?

This is a question of the legal definition of products and the words used to describe them. In Europe, as in all countries which are part of the Organisation Internationale de la Vigne et du Vin (OIV), wine has the following legal definition: "the product obtained exclusively by partial or total alcoholic fermentation of grapes, crushed or not, or of grape must". But many other alcoholic beverages are, like wine, the products of fermented fruit, vegetables or cereals of various kinds. Cider, for example, is produced by fermenting apple juice, but almost all fruit can be treated in this way, as fruit contains fermentable sugar or starch. In parts of West Africa, fermented bananas produce something known locally as "banana wine". But calling all fermented fruit juices "wine" would be too confusing, so the term is reserved for the result of fermenting grapes.

Le vin en cave
storing wine

Pourquoi fait-on vieillir le vin ?

La majorité des vins n'a pas besoin d'être conservée en cave avant sa consommation et, de nos jours, 90% des vins sont consommés dans les quelques jours qui suivent leur achat en magasin. D'ailleurs les techniques d'élaboration ont évolué afin d'adapter les vins à ces nouvelles habitudes de consommation depuis une vingtaine d'années. Mais certains vins sont conçus pour être conservés pendant des dizaines d'années, et quelques-uns peuvent même être difficiles à apprécier pendant les premières années de leur vie. Ces sont ces vins-là qu'il est conseillé de faire vieillir afin que leurs tanins s'assouplissent (dans le cas des vins rouges) ou que leur acidité se fonde (dans le cas des blancs, comme des rouges).

Why do some people cellar certain wines for a long time?

Most wine do not need to be cellared for years before one pulls their corks (or unscrews their caps). These days, the vast majority of all wines are drunk within a week of their leaving the shop where they are bought, and very few shops age their wines for years. One of the main reasons is that very few modern consumers have wine cellars, and so wine-making has adapted itself by making wines far more pleasant to drink within the first three or so years of their life. On the other hand, some wines, most of which tend to be expensive, are made to last for decades and are usually not at their best in their early years. The reason for this, in the case of red wines, is to render their strong tannins (and their acidity, in the case of all wines) softer and more amenable to the palate. Fine wine can develop, over time, a degree of refinement and complexity which no young wine *can show. This, together with rarefaction that also comes with time, explains why some old wines fetch even higher prices than the same wines when they were younger.*

Pourquoi certains vins se conservent-ils mieux que d'autres ?

Les ingrédients d'un vin qui sont susceptibles de l'aider à résister aux ravages du temps sont de différents ordres. Les principaux se nomment le sucre, l'acide, et les tanins, mais l'affaire est plus complexe car il s'agit aussi, et peut-être surtout, d'une combinaison subtile entre ces ingrédients (ou du moins entre deux d'entre eux) et les milliers d'autres constituants pouvant se trouver dans un vin. Chaque vin présente sa combinaison unique, mais tous ne sont pas susceptibles de bien évoluer dans le temps. Pour généraliser un peu, les vins riches en tanins, en sucres ou en acidité ont de meilleures chances de bien se conserver que les autres. Si sucre et acidité sont combinés dans un même vin, la durée sera encore plus longue. Enfin, les conditions de stockage influeront sur cette capacité de garde. Plus fraîche (et plus constante) est la température de stockage, meilleure sera la capacité de garde.

Why do some wines age better than others?

The ingredients in wine that help it to age well are of several orders. The main ones are sugar, acid and tannins, but things are a little more complicated as perhaps the most important thing is the balance between two, or all three, of these parts and the thousand of other sometimes microscopic quantities of substances to be found in a wine. Each wine shows its own unique combination of these, but not all wines are fit for long ageing. To simplify a bit, wines with powerfully structured tannins, acidity or sugar are likely to keep better than others, but the balance factor is all important, as indeed are storage conditions. Concerning the latter, the cooler and the more constant the storage temperature, the longer the wine will keep.

Pourquoi le vin doit-il être conservé en cave ?

Il y a plusieurs bonnes raisons. Les conditions nécessaires à une bonne conservation de bouteilles de vin ne sont que rarement réunies par d'autres lieux de stockage. Le vin doit être stocké à l'abri de la lumière, dans un lieu dont la température se rapproche le plus possible de 12°C, sans grandes variations, et ayant un taux d'humidité élevé (de l'ordre de 60/70%). De surcroît, il vaut mieux éviter que ce lieu n'abrite des produits susceptibles de dégager des odeurs fortes. Enfin, et ce n'est pas la moindre des préoccupations, il faut que ce lieu soit protégé de visiteurs non autorisés… Une cave souterraine réunit, plus facilement que tout autre lieu de la maison, la majorité, voire la totalité, de ces conditions, notamment par son inertie thermique et son humidité. Mais, au besoin avec quelques travaux, d'autres lieux peuvent être aménagés pour stocker correctement le vin.

Why should wines be kept in a cellar?

This is not absolutely essential but there are several good reasons. Suitable conditions for keeping wines in good shape over many years are quite rarely united in other types of storage, although this is technically possible. The main requirements are: absence of light, a fairly stable temperature of around 12°C (54°F), levels of humidity at or above 60% (if your bottles have corks in them), and an absence of vibrations. In addition it is preferable that there be no strong extraneous smells in or near the cellar area. Finally it is essential that the storage area be hard to get into for unauthorized visitors! Underground cellars manage to fit this bill on the whole, but one can build above-ground cellars that work well too, with a little thought and work.

Pourquoi la cave doit-elle être sans odeur et sans lumière ?

Le vin est un produit vivant qui est sensible à des variations dans ses conditions de stockage. La plupart des bouteilles de vin étant encore fermées par des bouchons de liège, et ce type de fermeture n'étant pas toujours totalement étanche, des odeurs fortes peuvent migrer de l'extérieur d'un flacon vers son contenu. Cela n'arrive pas souvent, mais c'est un risque à éviter. Imaginez vos grands crus de Bourgogne exhalant des arômes de fuel de votre système de chauffage, ou du parfum des oignons que vous stockez dans une autre partie de la cave ! Evitez donc de stocker des produits odorants dans la cave à vin. Le vin est également sensible aux rayonnements d'ultraviolets. C'est pourquoi la plupart des bouteilles ont une coloration sombre (brune ou verte) qui sert à filtrer une bonne partie de ces rayonnements. Une bouteille claire ne filtre rien du tout. La manière la plus sûre d'empêcher ce type d'altération, qui peut provoquer des goûts très déplaisants dans un vin, est de garder vos bouteilles à l'abri de la lumière.

Why should a good storage place exclude light and strong smells?

Wine is a living substance that can be highly sensitive to certain conditions that surround it, even when it is in bottles. Most bottles are still closed by corks and, as this type of closure is rarely totally impermeable, some powerful smell molecules can find their way into the wine. Just imagine your bottles of the finest Burgundy having a whiff of heating fuel because the storage for this, or the boiler, is right by your cellar. For the same reason, one should avoid storing onions, or cans of paint, in the cellar. Wine can also be seriously degraded by ultra-violet light. This explains why most bottles are made of dark coloured glass (green or brown) which is far more efficient than clear glass at filtering these rays than clear glass, which is virtually useless. So the best way to prevent this chemical change in wine that is caused by exposure to ultra-violet light, causing very unpleasant smells, is to keep your bottles in the dark.

Pourquoi la température idéale de la cave est-elle de 12-13 °C toute l'année ?

Ce chiffre est à considérer comme une sorte d'idéal, car des écarts de quelques degrés, de part et d'autre de ces valeurs, ne sont pas dramatiques pour la bonne conservation des vins. L'important est que les changements de température ne soient ni trop brutaux, ni d'une trop grande ampleur. Que la température de votre cave en été se situe autour de 15°C, et qu'elle baisse à 10°C en hiver, n'a rien de dramatique, mais il vaut mieux éviter de tels écarts dans une même journée, entre le jour et la nuit notamment. Cette température de conservation relativement constante et modérée va avoir pour effet de ralentir le vieillissement d'un vin, en le laissant développer, s'il en a le potentiel, une gamme large d'arômes et de saveurs. Elle vaut pour tous les types de vins. Il faut ajouter qu'une cave idéale doit aussi avoir un taux d'humidité d'autour de 60/70%.

Why should one store wine at around 12°C (54°F) all the year round?

This figure should be taken as a theoretical ideal, as a couple of degrees higher or lower on either side would not have a dramatic effect on the condition of most wines. What is important is that any changes in temperature are as gradual as possible, as well as being of minimal amplitude. For example, if the temperature of your cellar is around 15°C in summer and drops to 10°C in winter, this would not harm your wines, but one should avoid such changes between one day and the following night. Storing wines at lowish and constant temperatures will have the effect of slowing down the speed at which wines age through oxidation. It allows all types of wine to develop, if they have the potential, a broad spectrum of aromas and flavours. One should add that an ideal wine storage system, cellar or otherwise, should also have a humidity level of between 60 and 70%.

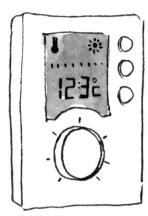

Pourquoi le vin vieillit-il mieux en magnum ?

Ceci est un constat basé sur des expériences nombreuses mais relativement empiriques. On pourrait probablement élargir cette expérience à des flacons encore plus grands, comme le double magnum, mais les occasions sont plus rares et le coût peut devenir un frein important. Il se pourrait que l'inertie thermique plus importante dans un grand flacon serve à « ralentir » certains effets du vieillissement d'un vin. Une autre explication pourrait être le plus faible volume d'air présent dans un magnum en proportion du volume de liquide. Lorsqu'on sait qu'un surcroît d'air peut faire vieillir plus rapidement un vin, au point de l'abîmer si la quantité est excessive, on comprendra à quel point cette différence peut être sensible. Pour résumer l'effet d'un grand flacon sur le vieillissement d'un vin, on dira que, comparée au même vin dans une bouteille, la version conservée en magnum reste plus jeune plus longtemps, en conservant une meilleure qualité de fruit dans ses saveurs. A l'inverse, plus le flacon est petit, plus l'évolution du vin sera rapide. On peut donc déconseiller la conservation de vin en demi-bouteilles, au-delà d'un an ou deux, mais conseiller l'achat de magnums pour les vins dont la vocation est d'être gardés dix ans ou plus. Il faut seulement créer des occasions de les consommer, ce qui implique la présence de plusieurs amateurs !

Why does wine age better in magnums?

The belief that wine ages better in magnums than in bottles is based on innumerable empirical experiences confirming this, but little or no scientific experiments. And one could perhaps extend the question to even larger containers, but here the opportunities are rarer and the costs higher! One possible explanation is that the greater thermal inertia in a large container slows down at least some of the effects of age on a wine. Another one involves the smaller volume of air in a magnum, in proportion to the volume of liquid. When one understands that it is basically exposure to air that ages a wine (and ultimately destroys it), one can perhaps go along with this theory. To give some idea of what can be the relative effect on a wine of having been aged in a magnum, compared to the same wine having being aged in a smaller container like a bottle, the larger container will tend to produce aromas, flavours and textures that seem fresher and younger. The smaller the bottle size, the faster the wine will evolve. One can therefore advise against storing wine for any great length of time in half-bottles. On the other hand, definitely think of magnums for wines that you want to lay down for decades. The only thing to consider is having enough friends to share the magnum when it is opened!

Pourquoi conserve-t-on les bouteilles couchées et non debout ?

Cela est nécessaire pour tous les vins tranquilles dont les bouteilles sont fermées par un bouchon en liège. L'important est que le liège

reste humecté en permanence, ce qui a pour effet de le maintenir « gonflé », assurant ainsi un bon contact avec les parois internes du goulot du flacon, et empêchant l'entrée d'air dans la bouteille, comme la fuite du vin vers l'extérieur. Car, pour bien vieillir, le vin doit évidemment rester à l'intérieur de la bouteille, mais, contrairement à une idée répandue, l'air doit rester à l'extérieur (une bouteille contient déjà assez d'air entre le bouchon et le liquide pour assurer certaines interactions). On pourrait maintenir les bouteilles sous l'eau pour obtenir ce résultat, mais il y aurait des inconvénients, pour les étiquettes entre autres ! Une bouteille de champagne (ou autre vin effervescent) n'a pas besoin d'être couchée, car la lente évaporation du gaz maintient suffisamment d'humidité sur le bouchon. Il est évident aussi qu'une bouteille dont la fermeture est assurée par une capsule à vis n'a pas besoin d'être couchée.

Why does one store bottles of wine on their sides?

This is necessary for all still (ie non-sparkling) wines whose bottles are closed with corks. It is necessary in order to maintain moisture in the cork and thus maintain this in expansion, forming a good seal with the inside of the bottle's neck and so preventing air from entering the bottle and spoiling the wine. One could cover the bottle with water, but this would make labels hard to read, amongst other drawbacks! Instead, to keep the outside of the corks humid, a good cellar has a high level of humidity. Bottles of sparkling wines do not need to be laid down, unless they are to be stored for a long time, since the slow evaporation associated with carbon dioxide gas coming to the surface provides sufficient humidity for the cork. Naturally there is no need to keep bottles closed with screw-caps lying down.

Pourquoi les bouteilles sont-elles fermées avec des bouchons de liège ?

Elles ne le sont pas toutes ! Depuis sa redécouverte (les romains utilisaient déjà le liège pour obturer certaines amphores) en Europe autour du XVIIème siècle, le bouchon de liège est apparu comme le meilleur moyen de fermer les bouteilles. Son atout majeur réside dans sa neutralité aromatique (à l'exception du « goût » de bouchon lié à la présence d'une bactérie indésirable) et sa grande plasticité qui lui permet d'épouser, d'une manière théoriquement étanche, le goulot de la bouteille. On lui reconnaît aussi la capacité de laisser filtrer un peu d'air, ce qui permettrait le vieillissement harmonieux des vins de garde, mais il semblerait que la lente oxydation des vins en bouteille soit en réalité le fait de la présence de l'oxygène contenu dans la bouteille. Un bon bouchon se doit donc d'être parfaitement étanche. Malheureusement, la fiabilité des bouchons laisse beaucoup à désirer. Le bouchon traditionnel est fait d'une seule pièce, découpé dans les plaques de liège précédemment séchées et traitées mais il existe des bouchons en liège aggloméré, moins chers, destinés à des vins devant être bus jeunes. La qualité et la taille d'un bouchon a une incidence sur son prix : de presque rien (0.015 centimes) à près d'1 euro pour les bouchons de grand luxe. Depuis une quinzaine d'années, le bouchon de liège subit la concurrence d'autres matériaux dont le synthétique et l'aluminium (capsule à vis) qui bouchent aujourd'hui près d'une bouteille sur trois produites dans le monde.

Why are bottles of wines closed by pieces of oak bark, called cork?

This is not the case for all wines in bottle. Since this use of cork was rediscovered (Ancient Romans used it for sealing amphoras) in Europe during the 17th century, cork stoppers gradually became a preferred way of closing bottles of wine. The main advantage of cork, at its best, is its capacity to keep wine in the bottle and air out, remaining sufficiently elastic to maintain this capacity for years. Also, in theory, to be totally neutral in terms of flavours, which is essential since the inside part of the cork is in contact with the wine. One problem with cork is that some corks occasionally develop in the wine unpleasant aromas, known as "cork taint". Another is that, being made from organic material, each cork has its own individual structure, and so not all corks provide perfect seals with the insides of the bottles. It is sometimes said that cork helps a wine to "breathe", by allowing minute quantities of air into the bottle, thus enabling the wine to age by micro-oxygenation, but this is disputed by many authorities who say that there is sufficient air in all bottles to enable this process. Thus a "good" cork is a cork that is air-tight, and the main problem with corks is their variable performance as efficient air-tight seals. Traditional corks are formed *by a solid piece of the bark of a specific variety of oak tree, quercus suber. Many corks are now made by recomposed cork fragments, which cost less. The cheapest cork-based stoppers cost around 0,015 centimes, whereas the best solid cork seal may cost almost 1 euro. For the past 15 years or so, cork has some serious competitors as a wine closure material from various materials, including plastic, aluminium and glass. Together these materials now close about one of every three bottles of wine in the world.*

Pourquoi la longueur des bouchons varie-t-elle ?

Il n'y a pas de taille standard pour les bouchons de liège, bien que la longueur de la plupart d'entre eux soit comprise entre 44 et 49mm de long. Toutefois, certains sont plus longs, atteignant 60 mm. Il s'agit surtout de bouchons destinés à des vins de qualité et de longue garde. En gros, plus un bouchon est long, plus il coûte cher. Les vins bons marché n'auront donc jamais recours à un bouchon long. On estime qu'un bouchon long, et de qualité, assure une meilleure obturation et se dégrade moins vite qu'un bouchon standard. Pour ces bouchons, on utilise de préférence un tire-bouchon à longue mèche, ou un tire-bouchon Bilame, surtout s'il s'agit de vieux vins et si l'on ne veut pas s'acharner au couteau sur le moignon de bouchon brisé qui sera resté dans le goulot.

Why do corks have different lengths?

There is no single standard length for corks, although most are between 44 and 49 millimetres long. But some can go up to 60 mm. These are used for wines destined to be cellared for many years. Generally speaking, the longer the cork, the more it costs, since this increased length will ensure a better and longer-lasting seal between the cork and the inside of the bottle's neck. And it will also resist becoming porous for longer. To extract such corks, especially when they have been in a bottle for decades, it is best to use a corkscrew with a long spiral thread, or else a twin-bladed cork puller. Corks become fragile with time and easily break off in the bottle if the corkscrew is not suitable or is clumsily used.

Pourquoi y a-t-il une capsule par-dessus le goulot de la bouteille ?

Les bouchons sont presque toujours coiffés d'une sorte de capsule qui peut être en métal (pour les vins effervescents), en fer blanc, en plastique ou en papier, très rarement en cire. Leur intérêt pratique est de protéger le bouchon et d'empêcher toute manipulation frauduleuse de celui-ci. Elle peuvent aussi jouer un rôle esthétique dans l'habillage d'une bouteille, et parfois un rôle réglementaire fiscal, comme en France, où les capsules (dites capsules-congés) sont ornées du sceau de Marianne et attestent que les droits de circulation sur l'alcool ont été acquittés auprès de la Direction Générale des Douanes et Droits Indirects (DGDDI, inscrit en toutes lettres sur la capsule).

Why are corks usually covered with foil?

Most corks are covered with a protective foil forming a kind of capsule, and which may be made of various materials, such as light metal alloys or plastic. In rare cases a wax seal is used. The function of this protection is to show that the cork has not been tampered with, and also to protect it from excessive moisture when the bottle is stored in a damp cellar. Foil capsules can also carry decorative elements of the packaging that may add to the bottle's aesthetic appeal. In some countries, such as France, it doubles as a support for fiscal stamps, or, as in the case of port, for a seal that certifies the wine's authenticity.

Pourquoi de plus en plus de bouteilles sont-elles fermées avec un bouchon en plastique ou une capsule à vis ?

Moins chers que le liège et ne pouvant risquer de développer le fameux goût de bouchon, les bouchons synthétiques connaissent un franc succès auprès des producteurs et concernent près d'une bouteille sur six produites dans le monde. Le bouchon synthétique (de divers types de plastique) est réservé à des vins d'entrée de gamme destinés à être bus rapidement, car le plastique résiste mal au temps, se rétracte et perd assez vite son étanchéité (en 18 mois environ). Outre la difficulté que l'on a parfois à l'extraire avec des tire-bouchons faits pour le liège, il présente un inconvénient parfois très agaçant pour le consommateur : une fois extrait, le bouchon de plastique a tendance à se décompresser et il est parfois impossible de le remettre dans le goulot.

L'autre alternative au liège est la capsule à vis en aluminium, presque aussi plébiscitée par les producteurs que le synthétique. Son avantage est triple : elle préserve le vin du goût de bouchon, garantit la régularité et l'homogénéité du vin d'une bouteille à l'autre grâce à sa parfaite étanchéité (ce que ne garantit pas le liège), et préserve la fraîcheur et la jeunesse des arômes (importants pour les vins blancs notamment). On ajoutera que la capsule est facile à utiliser et permet de se passer d'un tire-bouchon. Si la plupart des grands vins de garde restent fidèles au liège, certains pays l'ont pratiquement évincé comme la Nouvelle-Zélande, dont 95% des vins sont fermés avec des capsules à vis. Celles-ci se posent aujourd'hui comme une alternative sérieuse au liège, y compris pour les vins de garde, et les résistances du côté des consommateurs, fortes dans certains pays, sont surtout d'ordres culturel et psychologique.

Why are growing numbers of wine bottles closed with synthetic corks or aluminium screw-on caps?

Synthetic corks cost less than true cork and will not harbour the dreaded "cork taint".

They are particularly successful for wines at lower price levels and currently close about one bottle of every six produced in the world. Various types of plastic are used, and these closures are particularly used for wines to be consumed within their first year or two. Synthetic corks do not always age well, as they tend to lose their elasticity and begin to let in some air after a while (usually about 18 months after bottling). Another disadvantage of this type of closure is that synthetic corks can be difficult to extract from a bottle, and are often very hard to push back in.

Another major competitor for corks is the screw-cap closure, made essentially from aluminium, and this is fast growing in popularity. It has three main advantages over cork: it is totally free from the risk of cork taint; it makes for a reliable and regular seal, preserving all the natural aromas of the wine as it is bottled, for each and every bottle; it is very easy to open and re-close, as no tool is required other than hands. For the moment, the vast majority of the most expensive wines

Pourquoi y a-t-il un muselet sur les bouchons de champagne et de vins effervescents ?

Le muselet est ce corset constitué de fils de fer torsadés (jadis de chanvre) qui enserre le bouchon (et la plaque métallique qui le coiffe) des bouteilles de champagne, et des vins effervescents en général. Sa raison d'être est de maintenir solidement le bouchon qui est soumis à la forte pression du gaz carbonique contenu dans le vin, équivalente à la pression d'un pneu de camion dans les jeunes champagnes, donc potentiellement dangereuse en cas d'expulsion inopinée ! Le passage du muselet de chanvre au muselet de fer a entraîné l'invention de la plaque du muselet (objet de collection pour des placomusophiles) pour empêcher le fil de fer de cisailler le liège du bouchon sous l'effet de la pression.

Why are the corks of Champagne (and other sparkling wines) surrounded by wire muzzles?

What is called a muzzle around corks of all kinds of sparkling wines is a contraption made of twisted wine (and, formerly, of string). Its function is to maintain the cork in the bottle, which is necessary, given the fact that the pressure within a bottle of a young champagne, for example, is roughly equal to that inside a truck's tyre! This wire is prevented from cutting into the cork by a metal disk placed on the top of the cork. These disks are often decorated by the producers and are sometimes collected.

Pourquoi les bouteilles contiennent-elles 75 cl ?

La contenance des bouteilles n'a pas toujours été de 75 cl. Avant la normalisation qui date des années 1970 en France, et qui a été poursuivie par des réglementations européennes, la capacité des bouteilles variait de 65 à 85 cl, parfois de 1 litre pour des vins de qualité courante, même si les contenants de 70 ou 75 cl étaient les plus courants. La question de l'origine de ce format reste un mystère et on s'en tiendra à des hypothèses. La plus convaincante est celle qui établit une relation entre ce format et une unité de mesure britannique (le gallon impérial) utilisée pour mesurer les liquides et qui équivaut à 4,5 litres. Or, les Britanniques ont été les principaux acheteurs de grands vins de Bordeaux dans la seconde moitié du XIXème siècle, à une époque où il était devenu courant de les expédier en bouteilles. On peut donc imaginer que les Bordelais ont adapté le format des bouteilles à la mesure d'un ou de deux gallons, soit 6 ou 12 bouteilles de 0,75 cl. On constate aussi que la contenance de la barrique bordelaise, fixée par une loi de 1866, est de 225 litres, soit précisément 50 gallons. Il existe d'autres hypothèses : les formats proches des 75 cl sont à mettre en rapport avec la capacité du souffle du verrier à l'époque où le verre était soufflé, ou avec la ration de vin consommée par un individu au cours d'un repas (au XIXème siècle).

Why do bottles of wine contain 75 centilitres?

The quantity of wine in bottles has not always been fixed at 75 centilitres. This volume for a bottle of wine started to be normalised in some European countries in the 1970's, but used to be quite variable, between 60 and 100 centilitres. It has now been firmly established under European legislation, with a modular approach which authorizes 37,5, 50, 100, 150, 300cl, and some others volumes, in addition to the main bottle size of 75cl. There are very few exceptions authorized. The reason for this standardisation is the same as for that of all measurements: to facilitate comparisons and controls. What is less certain is the origin of this volume, for which there are different theories. The most convincing is that 75cl is related to the old British measure of volume, the imperial gallon. A gallon equals 4,5 litres and twelve 75cl bottles of wine contain 2 gallons. The British were by far the biggest buyers of Bordeaux wines in the second half of the 19th century, at a period when bottling started to become widespread for the most expensive wines, so that they would age well and for longer. A bordeaux barrel contains 225 litres, a volume legally imposed by

Pourquoi la plupart des bouteilles sont-elles en verre ?

Le verre, malgré sa fragilité et son poids, est un matériau neutre, parfaitement étanche, peu coûteux, très résistant au temps : on a rien trouvé de mieux pour faire vieillir harmonieusement les vins de garde, parfois pendant de très longues périodes. Il y a peu on trouvait des bouteilles en plastique pour certains vins de table, mais elles tendent à disparaître. Par contre, de nouveaux contenants sont apparus pour des vins à boire rapidement, comme les canettes et surtout le bag-in-box, littéralement « sac en boîte », qui est un emballage en carton de format variable (de 2 à 10 litres pour les plus courants), pourvu d'un robinet verseur avec, à l'intérieur, une poche (ou « outre ») en plastique qui renferme sous pression le vin et qui se rétracte au fur et à mesure de sa consommation, évitant toute entrée d'air susceptible d'altérer le vin.

Why are most bottles made of glass?

Glass, despite being fragile and relatively heavy, has many advantages: it is neutral as a foodstuff container, waterproof (one should perhaps say "wineproof"), inexpensive when produced industrially, and extremely long-lasting and stable through time. It is also recyclable. No other container has so far been found that allows wines to age well for very long periods of time. One can find plastic used for some cheap wines, but this seems to be disappearing, although there is a new form of plastic being used to reduce weight and therefore transport costs. The worry about plastic concerns its possible lack of chemical stability when in contact with wine for long periods. Other materials have been introduced for larger volumes (volumes of between 2 and 10 litres are to be found) with a special flexible bag forming a kind of pouch that is contained in a cardboard box. This system, known as bag-in-box, involves a special valve tap that can let the wine out but no air in.

Pourquoi les bouteilles de rosé sont-elles transparentes ?

Le verre transparent permet d'admirer la tonalité de leur couleur rose. Le vin étant susceptible d'être peu avantageusement modifié sous l'effet des radiations d'ultraviolets, il serait conseillé de mettre tous les vins dans des bouteilles plus opaques, de couleur brune ou verte, qui filtrent ces radiations. Mais le consommateur aurait du mal à en distinguer la couleur dans un magasin.

Why are bottles of rosé wine made from clear glass?
Because clear glass allows one to see the colour of the wine. Wine, and especially any wine that is not red, can be adversely affected by the action of ultra-violet rays that can be plentiful in daylight or in certain types of artificial light. From this point of view, all wines should be bottled in dark-coloured glass that filters ultra-violet rays more effectively. But marketing and the visual attraction of a wine's colour has reasons that scientific logic ignores!

Pourquoi dit-on que le vin est un aliment vivant ?

Parce que c'est vrai ! Le vin est une substance chimiquement et biologiquement complexe. Il contient des milliers de constituants, parfois en quantités infimes, mais qui continuent à réagir entre eux et avec l'air qui est emprisonné dans le flacon. Les vins ne sont que rarement stérilisés afin de les rendre stables, car on souhaite qu'ils poursuivent les évolutions déjà entamées pendant leur phase d'élevage. Une partie de cette évolution dépend de l'air qui se trouve dans tous les vins, y compris des vins tranquilles, soit en suspension, soit dans l'espace entre le vin et le système de bouchage. Certaines substances contenues dans le vin continuent à évoluer dans le temps, même longtemps après la mise en bouteille, y compris dans un milieu anaérobique ou faiblement pourvu d'air. C'est le cas, par exemple, des tanins ou des acides. Le degré alcoolique d'un vin est relativement faible, et ne l'immunise pas non plus contre de tels changements. La vitesse de ces changements, qui peuvent affecter tous les aspects du vin (couleur, odeur et saveur), dépend de sa composition et de ses conditions de stockage.

Why is wine not stable?

Wine is a chemically and biologically complex substance that contains thousands of ingredients, sometimes in minute quantities. Most of these continue to interact even when the wine has been bottled, in many cases together with the air that is contained in the bottle. Wines are rarely stabilised by sterilisation, as the fact that they evolve in time is considered to be part of their nature. Evolution due to a certain level of chemical instability is desirable in wine, unlike in most other drinks, provided that it does not go wrong. Air is a major instrument in this evolution, and is contained in some quantity in suspension within wine in the bottle, as well as in a gap left below the cork. But many substances in wine can also evolve and interact under anaerobic conditions. This is the case for tannins and acids, for example. Alcohol levels for wines are relatively low, when compared to spirits, and insufficient to prevent most of these changes. The speed of these changes, which can affect all aspects of wine (colour, odour and flavour) will depend on the individual composition of each wine and its storage conditions, since temperature has a role to play as well.

Dans la même collection
In the same collection

Quiz du Vin
Version française • 240 Questions-Réponses
Wine Quiz
English version • 240 Questions-Answers

8 leçons particulières de dégustation de vin
Apprenez à déguster comme un professionnel !
8 private wine-tasting lessons
Learn how to taste wine like a wine professional!

Wine Discovery® 2
A partir de questions sur vos goûts et vos préférences
culturelles, cernez les types de vins susceptibles de
vous plaire.
By asking questions about your tastes, and your
cultural preferences, find out what types and styles
of wines are likely to please you the most.

Livre de cave
Pour une cave qui vous ressemble.
Cellar and tasting book
A cellar that resembles you.

Disque des Arômes®
Découvrez les arômes des vins de 32 appellations
françaises.
Wine Aromas disc
Discover the aromas of the wines of 32 French
appellations.

face A   face B

Retrouvez notre collection • *Discover our collection:* **www.atelierduvin.com**

© L'Atelier du Vin • Editions, 2010
Route de Chepoix 60120 Breteuil sur Noye FRANCE
Crédits photos et illustrations : L'Atelier du Vin
Achevé d'imprimer en janvier 2010
Dépôt légal : 2ème trimestre 2010
ISBN : 978-2-917567-23-4
Imprimé en Espagne • *Printed in Spain*